CRAP AR FARDDONI

crap ar farddoni

Catrin Dafydd • Eurig Salisbury •
Aneirin Karadog • Iwan Rhys •
Hywel Griffiths

Argraffiad cyntaf: 2006

(h) hawl. Awduron/Gwasg Carreg Gwalch

Rhif rhyngwladol: 1-84527-073-8

Mae'r cyhoeddwr yn cydnabod cefnogaeth ariannol
Cyngor Llyfrau Cymru

Cyhoeddwyd gan
Wasg Carreg Gwalch,
12 Iard yr Orsaf, Llanrwst, Conwy, LL26 0EH.
Ffôn: 01492 642031   Ffacs: 01492 641502
e-bost: llyfrau@carreg-gwalch.co.uk
lle ar y we: www.carreg-gwalch.co.uk

Argraffwyd a chyhoeddwyd yng Nghymru.

crap, crab [?bnth. S. *grab*] eg. (bach. crepyn) ll. -iau.
    1. Gafael, craff; syniad, amgyffred, bras amcan, gwybodaeth brin ac arwynebol: *hold, grasp, grip; notion, idea, inkling, smattering.*
    2. Lled feddwdod, brwysgedd: *partial intoxication, tipsiness.*

Geiriadur Prifysgol Cymru

Cynnwys

Cyflwyniadau

Catrin Dafydd

Byddai'n hawdd syrthio i'r rhwyd, a datgan mai *hon yw menyw'r criw, yr un sy'n cadw trefn ar y bois* ..., acynyblaen, ond nid felly'r tro hwn. Mae Catrin Dafydd yn canu, yn areithio, yn storïa, yn actio, yn chwarae offerynnau, yn golygydda, yn nofela ac yn medru reidio beic. Ac o dro i dro mae hi'n cael amser i farddoni hefyd. Cychwynnodd fel aelod o drigolion Gwaelod y Garth ac yn un o ddisgyblion Ysgol Rhydfelen. Aeth ymlaen i Brifysgol Aberystwyth i wneud gradd yn y Gymraeg, cyn cael swydd gyda Phlaid Cymru, neu jyst Plaid, neu beth bynnag yw'r enw erbyn hyn. Welwyd mohoni rhwng mis Medi 2004 a mis Mawrth 2005, gan ei bod hi'n brysur yn cystadlu yn holl brif gystadleuthau ysgrifennu'r Urdd (ac eithrio Medal y Dysgwyr – doedd ei Chymraeg ddim yn ddigon da), a thalodd hynny ar ei ganfed iddi wrth iddi ddod yn y tri uchaf bron bob dydd drwy'r wythnos, ynghyd â chipio'r Fedal Lenyddiaeth. Y newyddion diweddaraf yw ei bod wedi prynu tŷ yng Nghaerfyrddin, lle mae nifer o feirdd eraill llawer llesgach na hi yn dod i orffwys rhag y byd yn awr ac yn y man. Ac yn ôl y sôn, yn cadw'r tŷ iddi ac yn golchi'r llestri mae un arall o feirdd y gyfrol hon, Hywel – ond dyna ddigon am hwnnw.

Catrin yw arweinydd y tîm canu rhydd yn y gornel felen, er bod y Sun yn honni iddi fod yn dysgu i gynganeddu yn ddiweddar hefyd. Hi hefyd yw menyw'r criw, a'r un sy'n cadw trefn ar y bois pan fo'r gynulleidfa'n dechrau taflu tomatos.

Eurig

Eurig Salisbury

Ganwyd Eurig yng Nghaerdydd ac fe'i magwyd yn Llangynog ger Caerfyrddin. Mae'n fab i Vaughan ac Eurwen ac mae ganddo chwaer, Leila, a brawd, Garmon. Ef oedd bardd cadeiriol Eisteddfod yr Urdd, Rhuthun, 2006, ac enillodd dair cadair Rhyng-Golegol fel myfyriwr. Gweithio'n ddygn ar y rhain oedd Eurig yn ystod ei flwyddyn gyntaf yn Aber, gan gloi ei hun yn ei 'stafell ac ymwrthod â'r ddiod gadarn a merched hyd nes eu gorffen. Dyna sydd yn esbonio ei absenoldebau mynych a chyfnodau cysglyd wrth wrando ar Athro nodedig. Ymhyfryda mewn porthi'r ystrydeb na ddylai bardd gadw at amserlen, a gwnaed gwaith dygn ganddo wrth wthio ffiniau ein diffiniadau traddodiadol ni o 'hwyr' i lefelau cwbl newydd. Mae'n gapten (teyrn) ar dîm Talwrn Y Glêr, ac yn aelod o dîm Caerfyrddin yn ymrysonau'r Steddfod. Dysgodd nifer i gynganeddu gan gynnwys Hywel Griffiths yn niflastod addysg uwchradd, ac eraill yn nyddiau hapusach yn y Cŵps a Phenweddig. Mae Eurig yn gweithio yn y Ganolfan Uwchefrydiau Cymraeg a Cheltaidd yn Aberystwyth, yn parhau ag adolygiad newydd o waith Guto'r Glyn a gychwynnodd ar gyfer traethawd MPhil. Mae'n byw yn Aber gyda'i gariad Rhiannon, sy'n cadw trefn arno. Tyfwr *sideburns* dihafal.

Hywel

Aneirin Karadog
Mae Aneirin Karadog yn amryddawn. Mae'n siarad hanner dwsin o ieithoedd, mae'n gallu rapio, cynganeddu a meddwi'n racs heb allu siarad un o'r ieithoedd ro'dd e'n siarad rhyw ddwyawr ynghynt. Mae'r arch-rechwr o Bontypridd yn aml yn cael ei weld yn hwylio mewn cwch banana ar draeth Cefn Sidan am ei fod yn gweithio fel ymchwilydd i Wedi 7 yn Llanelli. Mae Aneirin yn aelod o'r band Genod Droog (er nad oes neb yn siŵr iawn pa mor ddrwg ydyn nhw, er eu bod nhw'n sicr yn genod). Yn ei amser sbar (!) mae Aneirin hefyd yn perfformio fel rhan o'r ddeuawd hip-hop 'Y Diwygiad'. Tybed os mai ef yw'r Evan Roberts newydd? Yn wahanol i'r hwntw hwnnw, mae Nei yn prysur gwneud enw i'w hun fel 'wanabe-gog'. Ei gamp mwyaf, hyd yma, oedd tynnu cadair yr Urdd 2005 o grombil armadilo anferth yn y Bae. Bu bron i feirdd eraill y gyfrol dagu ar eu swper un nosweth pan ddaeth Aneirin, fel Ice-T ers talwm ar y sgrin gan ddatgan (mewn rap) mai ef oedd aelod ieuengaf *Pishyn.com*. Hyd y gwyddom ni, mae e'n dal i chwilio am gariad (a dal i chwilio fydd e 'fyd).

Catrin

Iwan Rhys

Bachgen bach addfwyn o Borth y Rhyd oedd Iwan Rhys cyn iddo gyrraedd Prifysgol Cymru, Aberystwyth a gadael ei wallt e lawr fel teiars y fyddin adeg protestiadau boddi Tryweryn. Rhwng y partïon gwyllt a'r pendoncio di-ben-draw, mae Iwan yn fathemategwr o fri, sydd efallai wedi esgor ar ei ddoniau cynganeddol. Ond nid prydydd yn unig mo Iwan Rhys o Borth y Rhyd ond bardd gogleisiol a difyr sy'n llwyddo i wneud i'w gynulleidfa feddwl am bethau bach bywyd mewn ffordd wahanol. Enillodd Gadair yr Urdd yng Ngŵyl yr Urdd, 2001, adeg clwy'r traed a'r genau, gan ddod yn un o'r beirdd ifancaf i wneud hynny. Mae Iwan hefyd yn gymaint o garwr ag yw'n fardd. Ar hyn o bryd mae'n cynnal astudiaeth hollol unigrgyw a blaengar yng Nghymru ac yn y byd, drwy wneud astudiaeth o farn a thueddiadau cynganeddwyr cyfoes wrth iddynt ymdrin â gwahanol fesurau, rheolau a goddefiadau Cerdd Dafod. Anorac o'r iawn ryw, felly, yw Iwan. Mae'n ffansio'i hun fel tipyn o *entrepreneur* (fatha Eurig Wyn) ac mae ganddo freuddwyd o fod yn berchen ar ffatri gywyddau ym Mharc Busnes Cross Hands, lle bydd rheseidi o fwncïod wrthi'n teipio fel slecs. Ac mae ganddo ffetish hosanau a botymau bol (ond nid ar yr un pryd).

Aneirin

Hywel Griffiths

Bachan o Langynog, Sir Gaerfyrddin yw Hywel. Mynychodd yr ysgol gynradd leol ac Ysgol Gyfun Bro Myrddin. Wrth deithio ar y bws i'r ysgol yn ddyddiol y bwrodd Hywel ei brentisiaeth gynganeddol dan law fedrus ei gyfaill, Eurig. Ychydig a wyddai'r ddau laslanc bryd hynny yr âi Hywel yn ei flaen i ennill cadair Eisteddfod yr Urdd Ynys Môn 2004, gyda'i athro barddol, Eurig, yn ail teilwng iawn iddo. Ffantasi Hywel ers blynyddoedd yw bod yn ddoctor, a dyna'r rheswm y mae wrthi ar hyn o bryd yn gwneud doethuriaeth mewn Daearyddiaeth yn Aberystwyth, ond yn y cyfamser mae'n gorfod ceisio byw ei ffantasi yn ei fywyd bob dydd. Mae'n byw gyda Catrin ar y Prior yng Nghaerfyrddin lle mae'r ddau'n cynnal syrjeris creadigol gyda'u cyfeillion llengar, a phan fydd Catrin oddi cartref bydd Hywel yn chwarae doctors a nyrsus gydag Evita Morgan o Batagonia. Ceidw Hywel ei fys ar byls barddoniaeth Gymraeg a 'does dim yn well ganddo na chwifio'i stethosgop gytseiniol o flaen cynulleidfa eiddgar.

Ym mrwydr yr iaith mae Hywel ar flaen y gad yn hwpo'i thermomedr i holl dyllau cyfrin y Gymraeg, ac ar ei brescripsiwn barddol ceir dôs o ddiwylliant i leddfu holl boenau'r enaid.

Iwan

Crap ar Farddoni

Cael crap ar y clecio'r wyf,
Crap rhad, cyw rapiwr ydwyf.
Crap ar y glec a'r rhupunt,
Crap o fri ar gewri gynt.
Caf grap yn cofio gwŷr hen,
Y rhai fu'n crapio'r awen
Mewn cell ymhell cyn fy mod,
Cnafon hyf cyn fy nyfod.
Crap ar Gerallt (rwy'n dallt-hi),
Crap ar Twm, crapiwr wyt ti,
Crap ar Alan, Dylan, Dic,
Crap ar Ceri (ŵr epic).
Crap a gaf ar gerdd dafod,
Cneciau lu y canu clod.

Caf grap mewn gobaith, weithiau,
Y daw rhywdro athro iau
Neu rhyw sgolor i dorri
Dalen o hon – daliwn i
I wenu pe bai hwnnw'n
Cael crap ar y cleciwr hwn.

Eurig

Rhoi'r gorau i farddoni...

Wy'n gaeth i'r gerdd –
ei hing a'i hangerdd,
rhaid imi roi'r gorau i farddoni...
Mae fy nannedd
yn ddu gan gynghanedd
ac yn dal i bydru,
alla i ddim peidio ag odli
ar ben hynny.
Rwy'n ei cholli hi.
Wy'n gerdd-head i'r carn!
Bob dydd yn snortio
llinellau llond eu barddoniaeth,
yn gwthio'r geiriau
drwy'r nodwydd i 'ngwythiennau'n
drosiadau sy'n rhoi fy llygaid
i rowlio'n farblys ar lethrau o iâ.
(Heb angen am beiriannau fel ambell un!)
rowliaf â 'nwylo gymariaethau'n
gônau Bobmarlïaidd nefol eu smôc
sydd fel hapusrwydd dyn brôc
sy'n dal i allu taflu jôc.
Drwy'r bong â'r delweddau
ac mae'r swigod yn gweithio
fel morwyr yn erbyn y lli
yn fy nheml grisial i'm hudo i;
o grombil f'ysgyfaint chwythaf y mwg
yn inc ar y ddalen o aer.
Heb alwad cyson yr Awen a'i hit
dechreuaf grynu, drwy'r boen
daw'n anodd codi o'r gwely
heb sôn am godi gwên,
rhaid imi roi'r gorau i farddoni...

Aneirin

Mae cerddoriaeth yn torri 'nghalon

Ar ôl gwrando ar ddarlithoedd Reith, 2006 yn cael eu traddodi gan Daniel Barenboim

Ym mherfedd pob nodyn
mae ei farwolaeth.

Mae ing oesol angerdd un gân
yn enedigaeth gyfrin,
ac yna mae'n marw.
Am y daw pob nodyn yn y byd i ben
ac yno mae ei ystyr hefyd.

Galaru na all llinell fyw hyd byth
yn ei hanterth,
dyma yw'r drefn.
Dyma'r trasiedi.

Catrin

Cywydd gofyn am lun

Gyfaill, yr wyf yn gofyn
i'r gog talentog am lun,
oherwydd llwm yw muriau,
a du iawn yw pared dau,
yn hunllef o wal unlliw
heb ddarlun na llun na lliw.

Ar fy ngwir, mae dihiryn
rhwng Mei a Monet, mae un
artist pist all daenu paent
yn wyrthbeth o brydferthbaent.

Bu'r pensel yn dawel, do –
ond rhaeadrodd paent rywdro
o'th law, ro't ti a'r awen
law yn llaw yn paentio llên
cyn bod sôn am farddoniaeth,
na dweud slic y cerddi caeth.

Ond rhaid, rhaid gweld doniau prin
y Renoir a'r Aneurin.

Felly wir, fy nghyfaill hardd
(er arafed troi'n brifardd!),
a gaf am a ofynnaf i?
Y llun gwychaf i'm llonni,
cans fe wyddost mor gostus
yw rhoi lliw ar furiau llys,
fe wyddost fod celfyddyd
o unrhyw werth yn go ddrud.

Ai llun o dylluanod
at ddewin y deri'n dod?
Neu Lyn Glaslyn? Neu glaw
llidiog ar ddŵr Llyn Llydaw?
Neu ymylon aflonydd
hen stori'r feidir a fydd

15

yn rhyddhau hen liwiau slic
y crayola acrylic?

Ai llun o fôr? Llyn y Fan
yn leuadwag o lydan?
Ai rhyw aber? Ai'r Berwyn
fydd yno yn gwisgo'i gwyn?

Ai rhyw dafarn ac arni
hyd a lled ein hyfed ni?
Rhyw Lew Du? Rhywle duach
na byrddau y bariau bach
â lle i ŵr, ar fy llw,
roi hen gur yn ei gwrw?

Eurig, i'r prifeirdd gore'
geiriau yw lliwiau pob lle,
geiriau yw'r cynfas brasaf
o roi eu hud ar fur braf,
felly, ar sail cyfeillach
tyrd â llun i'r bwthyn bach!

Hywel

Llawysgrifen

Aneglur yw'r papurach – ond aros,
    daw dy eiriau'n gliriach:
    y gwir sydd rhwng y geiriach
    yw'r atgof o'r feiro fach.

Guinness

Fel mollusc yn syrthio i gysgu, neu fel
    dwy falwen yn caru,
    siŵr o bleser yw blasu'n
    ara' deg y gwyn a'r du.

Cysgod

Hwn yw'r un heb rieni, y mae hwn
    ym mhob man yr ei-di;
    y dyn yn dy 'sgidiau di
    a anwyd ddydd dy eni.

Iwan

Beirdd v Rapwyr

I lwyfan y dolefu
Un nos daeth rapwyr yn hy.
Rapwyr byrfyfyr o Fôn,
Eraill o strydoedd geirwon
Pontypridd – Snoop ein tai pren,
A Dre hynod yr awen.
Y rapwyr hip yw'r rhai hyn,
Y dewiniaid di-dennyn,
Ein traddodiad rhydd ydynt,
Newydd sbon o ddi-saib ŷnt ...
Ond hold the boat, wledydd byd,
Hang on, hang on am ennyd –
Nagyw hyn a'i holl groen gŵydd
Yn gyforiog gyfarwydd,
A'u hen aggro unigryw
Yn taro cloch trwy y clyw?
Fe wn i am weiddi maith,
Wyf fyrfyfyr fy afiaith,
Wyf ŵr llafar y llwyfan,
Un o'r beirdd o bedwar ban.
Ie, rapio fu Guto gynt,
Bu Iolo'n rapio rhupunt,
Clywodd Tupac yr acen
Fel twrw'n bwrw'n ei ben.
Roedd yr hen feirdd yr un fath
Yn rapio tempo'r twmpath!
50 Cent – Siôn Cent y cof
Sy'n rapio heno ynof,
Rapwyr hefyd yw'r prifeirdd,
G-Unit yw bît y beirdd.
P Diddy fu'n dywedyd –
'Rap rwydd yw'r dasg ar y pryd!'
Do, rapiodd Sypyn un nos
I dead-line yr awdl unnos,
Yn yr hwyr yn gwneud ei rap,
Ei wych astrus orchestrap!
Poni welwch rap Nelly

Yn odlau ein hawdlau ni?
Pwy yw'r rapwyr – a'i Hopwood
Neu Eminem yn ei 'hood'?
Yn ein cysgod hynod, ha!
Free styleio sy'n ffars dila.
I chi'r rapwyr – bu'r curo
I'w glywed fan hyn ers cyn co',
Ac mae tôn acenion cudd
Yn sŵn hy eich raps 'newydd'.

Eurig

Dychwelyd

Mewn bar fu mor gyfarwydd
â'i gwrw'n gân, hen groen gŵydd
Yw y chwithdod sy'n codi
rownd wrth rownd ar fy ngwar i.

Yn nodau oer gwyn a du
y gân, rwy'n mentro gwenu,
gwên ryfedd, hanner meddwol
a oedd flynyddoedd yn ôl
yn wên gaib, yn gam i gyd,
anufudd o wên hefyd.

I'r glas di-embaras bydd
y golau'n wres digywilydd,
ond gwres oer digroeso yw,
a chlydwch ar chwâl ydyw,
yn hen gartref dieithr hefyd,
pen draw'r bar fel pen draw'r byd.

Yn llawn o gwrw llynedd,
shot wrth shot chwiliais am sedd.

Sadiais, eisteddais ar stôl
ar y ffin â 'ngorffennol.

Hywel

20

Storm

'To be or not to be, that is the question.'
– Hamlet, William Shakespeare.

Wele'r bardd
ar fryncyn 'da'i feiro er encil,
yn baglu dros ddelweddau,
yn ceisio eu gwau â geiriau
a chreu methiannau dro ar ôl tro –
sgriblo a sgriblo drachefn
heb drefn wrth ddriblo
drwy ei feddyliau...
...Uwch ei ben
ysmygai duw'r awyr yn drwm
y prynhawn hwnnw,
disgynnai dagrau o'i ruddiau'n
ysbeidiol dros y caeau
a thros bapur y bardd, yn blotshio'i
inc yn draed moch.
...Yna, mor sydyn â chwinciad...
Try duw'r awyr ei ddagrau'n
fwledi wrth iddi bistyllu.
Tro'r bardd am adre'n
waglaw heb syniad,
heb linell, heb odl, heb ddim,
fel petai ei feiro wedi colli pob
cof ac atgof o sut i fod yn feiro!
Ymadael wna'r mudan
heb swyn yr awen yn cymylu'i feddwl.

Y Gymraeg:
Mae eto storm yn fy mwyta'n
fyw fel
sahara'n consurio
awr fy nifodiant,
        Yn rhoi ei fin i'w voodoo.
Nid oes gennyf rhagor gysgod
rhag y dilyw pigog di-ddarfod;

21

Bellach, f'achubiaeth yw cardod.
Rhwygir y cregyn
ar y traethau
gan chwipio dyfriog duw'r awyr.
O dan y cymylau crac
fe glywir hen dymer o dyrfedd yn
bwbachu ac yn chwydu llucheden
bob yn funud
i neidio ar ein cymunedau,
fel petai duw'r awyr yn chwarae
dartiau a'i bicellau llawn trydan,
yn bygwth mor bigog.

Y Bardd:
'Wrth imi dy wylio'n erydu gyda'th arfordiroedd
i lawr dyfnaf ebargofiant
drwy'r glaw a'r mwd,
un diwerth wyf iti'n y diwedd.
Sudda 'nghalon
fel dau dŵr yn dymchwel.'
Fe gwyd y gwynt a'r glaw yn fraw â chwymp boncyffion.
Â'r cyfan yn chwythu i ffwrdd fel briwsion
rhed llifogydd mwdlyd yn fewnlif i ladd gobeithion.

Y Bardd:
Er imi glywed drwy'r storm a'i glawio
y dolur yn dy alwad;
rhaid yw dianc heb drio deall:
Er mwyn dimau rhaid mynd o 'ma.
Heb ei hieuainc, heb ei hawen,
Heb ei halaw na'i goslef llawen,
Heb rin yr un o'i dail ar bren,
Heb dir, be' ydi derwen?
Heb obaith, heb waith, heb wên,
Heb anelau tra bo niwlen.
O beidio bod daw byd i ben.
A hithau'n gorff sy'n prysur orffen,
ai tawel yw'r llu tu ôl i'r llen?

Y *Gymraeg:*
Mae dwndwr mewn mudandod;
wyf gywilydd prin ar dafodau'r
di-obaith eu cydwybod.
Heno mae gwae yn magu gwewyr
a minnau'n fy mhen fy hun
yn fôr astud o farw ystyr.
O ddannedd y ddinas
ddieithr tu hwnt i'r ffin
fe ddaw anhunedd i
ddwyn yr awen o'i ddwylo.

Â'i gyfalaf, fe â ar gyfeiliorn,
yn sipian y gwinoedd tanddaearol
ac yn blasu'r pleserau cnawdol
er ceisio anghofio'i orffennol.

* * * *

Wedi dihuno o freuddwyd ffôl,
I Gymru 'da'r bore mae'n mynd yn ei ôl.
Yna, o nunlle fe egyr y ffurfafen,
trywenir y cymylau gan waywffyn tanbaid yr heulwen –
wele'i rhubannau aur yn ail-ddeffro iaith y nef uwch ei ben.
Eistedda yno
ag islais ei goslef
yn rhaeadr o wefr drwyddo eto;
plymia i fyd y ddalen wen.
Wrth iddo ymlwybro rhwng muriau gwyn ei blaned
ar hyd llwybr di-orffen
hen drawiad a throeon ei chystrawen,
fe glyw adlais, adlais ei gynghanedd,
hen drawiad sy'n dod â'r awen
eto i lifo o'i feiro'n eiriau,
yn llenwi pob un llinell
â swyn ei chytseiniaid,
yn ferw â'i llafariaid,
anadla swyn ei hodlau
a rhanna'i hawen o'r newydd.

Aneirin

23

Crefft

Rhwng llys a llys
rhwng pob llan,
ar lwybrau hyll a thywyll,
Pwy fu'n pwytho iaith
yn gerdd a chân i frethyn hanes?
Pwy oedd biau'r trosiad
fel cwmwl ar draws y lleuad?
pwy drodd y lliwiau
yn waed oer mewn machlud eirias?

Pwy fu'n bragu gwin Seithennyn
o'r ewyn oer? Yn saernïo'r stori
o'r pentir garw,
pentyrru geiriau
fel coed tân ar gân,
ac yna, disgwyl i'w hwyl hi gydio,
cyn ein gadael
yn genedl gynnes,
yn gylch o'i hamgylch hi?

Hywel

Pa ŵr yw'r Bownser?

O'm blaen mae boi o blaned – wahanol,
    Bownser hen a chaled,
    A minnau heb lemwnêd
    Yn y gwter yn gweitied.

Pa ŵr yw hwn? Wel, o ran pryd – a gwedd
    Ni bu gwaeth o'r cynfyd
    Mewn dôr nad yw'n agoryd,
    Glewlwyd Gafaelfawr mawr, mud.

Why the wait? ar ôl meitin – ymholais
    Yn fardd mawl ar bafin.
    Oy, if you all hate waitin
    Why ask? No one's goin in.

Clywn y tu ôl i'r clown tew – lenwi'r aer,
    Teimlwn wres o'r dudew
    A golau'n siŵr, gwelwn siew
    A thir lledrith o'r llwydrew.

I'm a poet... I bet! ebe hwn – *prove-it.*
    Ac fel prifardd, canwn –
    Bouncer, pray answer this prune,
    You're a tiger, ategwn,

A leader of drunk ladies – a giant
    Who's jaw moves on hinges,
    Concierge of the ledges,
    A bear in care of the keys.

My mate, permit a poor man – to enter
    You're tent, sef ei hafan,
    Turn the door before your fan
    Freezes like some fresh Fresian!

Chwarddodd, wiblodd a woblo – am eiliad,
    A'r bardd mawl oedd wrtho'n
    Weitied, cyn gofyn eto –
    Can I? Well mate, can I? No.

      Eurig

25

Darluniau

Cael trin dy wallt
a'th wreiddiau'n anystywallt.
Syllu'n hir ar adlewyrchiad stond
a gweld,
rhwng nodau rhad y radio
a'r arian sydd ymhleth
yn dy wallt,
fod dy etifeddiaeth
yn dy lygaid.

Dy fuchedd a bochau
dy daid fydd yno hyd yfory.
Rhwng y poteli sgleiniog
a'r siswrn sy'n pigo
cydwybod,
mae torri darnau
o wirionedd a'u pluo
tua'r llawr.
Yn y noethni hyn
mae gweld pob dim
er bod pob dim
yn ffluwch.

Wrth i ti fyseddu
cylchgrawn rhad
ar ôl cylchgrawn rhad,
mae dy nain
yng nghlytwaith dy groen.
Gwlân cotwm
yn dy glustiau
ac arogl y lliw gwallt
drosot yn tywallt
yn donnau meddwol.

Ni ddaw unigedd tra parhei di
yn goban o ddilyniant
a defnydd cenedlaethau
mewn un wên.
Mae yn dy lygaid

y bore barugog hwn
gwlwm a choedwigoedd,
mynyddoedd a môr.
Yn dy wallt
mae brigau a gwreiddiau'n
gymysg.

Ac wrth i'r pen grasu
am funudau o unigedd,
teimlo, o syllu yn hir
ar dy fwgwd,
dy fod yn sylwi,
er na wyddost,
ar luniau pobl na welaist monynt yn dy fyw
a'u hadnabod mewn dyfrlliw.
Yn yr eiliad ryfedd honno
fuest ti erioed
yng nghwmni cymaint
o eneidiau,
ac o gornel llygad,
gwêl ymhlith dy ddannedd gwyn,
dy nain yn gwenu yn ôl.

Cael trin dy wallt,
ac er y coch a'r darnau mân
sy'n pluo tua'r llawr,
ni symudir cadernid dy eni
na'r wên sy'n hel atgofion.
Ac yn dy sedd,
dy suddo bore Sadwrn,
mae pob ddoe ac yfory'n ddigon,
mae rhagor a mwy
a gormod o atgofion
yn bodoli.

A hyn oll,
heb ymwybod i ti,
heb eu darganfod.
A'r manion gwallt
yn twmblo tua'r llawr.

Catrin

Hen Brud

Dilyn y golau tenau i'r tŵr
Wyf heno, wyf Iolo, wyf filwr.
Fel un heb sedd, fel cynganeddwr
Yn mwynhau'r dandwn, cwmni'r dwndwr,
Ac fel ar orwel, rhyw arwr – alltud
Yn dychwelyd i dŷ uchelwr.

Uchel yw sŵn ein Hannwn ninnau,
A rhwydd ei wres a rhydd ei ddrysau.
I gyfeiliant yr ogof olau
Ym merw'r sîn fan hyn, wyf innau'n
Darogan y daw'r hogiau – yn y man,
Ac yn darogan geni dreigiau.

Eurig

Cariad ag odliadur

Mae cariad ag odliadur
i ddyn, yn gofyn am gur,
gall rhoi clod i ferch odiaeth
all feirniadu canu'r caeth,
er yn gynllun dymunol
ar gân, fod yn ffwdan ffôl...

Roedd 'na ddathliad cariadus,
rhaid oedd cael anrheg ar frys,
doedd dim chance fod balance bardd
yn ei adfyd, fel tlodfardd,
yn medru'r fforddio'r gorau,
ac och! Roedd Harrods ar gau.

Yn dlawd, mynnai'r dyledion
roi'r gerdd yn anrheg i hon!
Cerdd o angerdd (rad), ingol,
a da iawn i foi ar dôl!

Sill wrth sill fe chwysais i,
naddais englynion iddi
o waelod dyfna'r galon
a'r beiro yn brifo bron!
Yn y man, es i ganu
ger ei bron, englynion lu.

Y dweud, fel siocled ydoedd,
yn nhop ten fy awen oedd,
gweiniais, bwydais heb oedi
air â blas fy sgriblo i,
caviar slic fy awen
i roi blys holl wystrys llên
i'r missus, er mwyn cusan,
yna mwy... wel... yn y man!

Ond er gofal dyfal daeth
llanast i fwrdd fy lluniaeth,

roedd fy meirniad cariadus
at y bardd yn pwyntio bys.
Sill wrth sill dioddefais i
Ymson gan Gordon Ramsey
Ôl-fodernaidd, yn treiddio
i chwilio gwall a chael go!
Profais dros swper hefyd
y beiau a'r gwallau i gyd,
gweld proest dros garbonara,
dweud ei dweud dros Rioja da,
am hen drawiad – 'mae'n drewi
fel rhech wleb,' – 'na'i hateb hi,
fy nghymar, roedd hi'n barod
wrth ei bodd, barnodd nes bod
y bardd wedi cael llond bol
o'i thaeru ôl-strwythurol.

Yn fy mhŵd, troes at bwdin
a cherdd hardd y bardd mewn bin.

Ond fy nghariad beirniadol
roddodd un englyn yn ôl,
ac yn llon, dwy'r barddoni
sill wrth sill, beirniadais i!

Hywel

Dwi'n cofio dy weld di

Flynyddoedd ynghynt,
dwi'n cofio dy weld di yn y gornel.
Roedd degau o bobl o'th amgylch di,
fel cacwn am bot jam.
Blas y mwg yn dew
a llawr pren y lle yn stecs.
Dyna gadwodd fi yno,
yng nghysur y gornel arall.
(Roedd fy nhraed wedi eu glynu
wrth y lloriau gludiog.)
A ben bore heddiw,
daeth y newydd na ddoi di yn d'ôl
a dwi'n dyfaru peidio,
ond unwaith,
yn dawel.

Catrin

Tyrau Ifori

Â'r nen a 'mhen yn trymhau
drwy Fynwy draw af innau'n
ddyn bach ei ddawn yn y bôn,
ar daith i gaer y doethion.

* * *

yn breichio'r tad sydd â gwep hwyaden
mae'r fam anghynnes yn beunes benwen:
A'u pomp yn eclipso'r Pab,
o'u hadfyd dont a'u drudfab –
mab o rwysg ag ymbarél,
bô-tei, mab y byw tawel
a'i achau'n fyw'n Rhydychen,
y mab a'i ach am ei ben.
Y *crème de la crème* a'r crach
a thafod eu hiaith afiach
mor aflan ei ynganiad
yn fy nghlustiau'n hau ei had.
Ym mreuddwyd yr amryddawn,
yn ddau lanc mewn neuadd lawn
o *fravado*'n frefiadau,
ni'r ŵyn ffôl sy'n rhuo'n ffau'r
llewod, un lle a'i awen
yn llawn o atseiniau llên.
Yn Athen y perffeithwaith
codwn wydrau dechrau'r daith:
Byrddau aur, ni'n braidd arab
a'n pomp yn eclipso'r Pab.

* * *

Taro rhech mewn twr uchel
a rhochian yn aruchel,
bramu bri â'r ymbarél.

Tua'r gwynfyd, trwy gwynfan
dail y wawr, i'r Bodleian,
gwgu a'r pen yn gwegian.

32

Rhwyfo i draethawd i ryw fyd o rithiau
drwy'r dirgelwch draw i dir y golau
yn fy nghwch yn nh'wyllwch llinellau;
ar y tywod, cychwynnaf â'r toeau,
rwy'n bensaer yn codi'i gaer â geiriau,
hyn cyn sylwi ar grac yn y seiliau;
rhwyfo mewn cwch yn nh'wyllwch llinellau.

Gruddfan a'u cân yn cau
tewi tra sigla'r toeau:
Ochain a damio'r clychau!

Dim grwn na swn stiwdants swel
yn rhochian yn aruchel,
'mond rhu rhech mewn twr uchel.

*   *   *

Twrw'r byd yn glyd mewn gwlâu
a rhu ein theorïau'n
fôr o swn – myfyrwyr swel
a'n rhochian mor aruchel,
mor witty, yn llenwi'r lle
yn oriau mân y bore;
wyn ffôl yn meddiannu'r ffau
â *bravado* brefiadau.
Daw rhyw wres sydyn drosof,
nid ar fy nghais, drwy fy nghof –
swn agro eu seisnigrwydd
a'u grwn gwag heno'n groen gwydd
arnaf; yn chwa o oerni
daw hen saeth ei hiraeth hi
fy Ngwalia at fy nghalon –
Crac! Hollt! 'Sdim dianc rhag Hon.

Aneirin

Cariad

Dywediad llygaid ydoedd,
ac englyn heb eiryn oedd,
dan leuad hŷn o lawer
na holl liw ein cannwyll wêr,
ar y bwrdd rhyngom a'r byd.

Lle safodd lleisiau hefyd
a gweini â gwên gynnes
eu hen win i'n tynnu'n nes,
rhoesom gusan yr oesau,
a hen, hen sgwrs mewn gwisg iau,
ein gwisg ni yn unig oedd,
dywediad eiliad ydoedd.

Hywel

Cragen Gyflawn

O weld y diwedd daw'r dechrau'n glir
a thoddi diwedd dydd yn fin ar ddannedd yfory.

*   *   *

Dau blentyn a'r tonnau'n tasgu ymhlith yr hanner cregyn
a'r tonnau'n hogi blys hylif glân mewn gwddf.
Dau blentyn, dwy chwaer yn chwerthin, dau ben
yn bobio uwch gweilgi anniben, a'r heli'n hallt.

Dau blentyn ac yfory'n ddim, a'r byd a fodiant
dan linell las yn hen hen hanes sydd i ddod.
Dau blentyn ar y dydd hwnnw o haf (yr un hiraf),
yn llygadu llong a lithra'n braf.

Dau blentyn yn brasgamu dros y broc
tua'r tywod yn bwdlyd am fod Mam 'wedi gweud'.
Dau blentyn ac atgof gorfod cau llygaid
er bod yr haul hy yn sbecian drwy'r llenni.

O weld y diwedd daw'r dechrau'n ras
a thoddi diwedd dydd yn fin ar ddannedd yfory.

*   *   *

Dwy chwaer yn chwistrell o chwerthin a chwysi oes
o arfer mewn un wên yn eu chwys eli haul.
Dwy chwaer yn crasu croen am wythnos,
yn binc, yn gorweddian mewn gwydraid gwin.

Dwy chwaer yn ail-egnïo ar dir estron
am fod diwedd wythnos yno, ers y dechrau.

Dwy chwaer, o'u geni gwyn yn brownio, yn stond,
yn bola-heulo, ac wrthi'n nofio arfordir angof.

Dwy chwaer ar y dydd hwnnw o haf,
yn troi pen, yn llygadu llong a lithra'n braf.

Dwy chwaer yn chwys y magu, a'r bloneg
byrhoedlog yn tyfu a'r dechrau a'r diwedd
yng nghannwyll llygad babi.

Un chwaer yn gweld eu terfyn ym mharhad
parêd y plentyn,
a hyn yn gynnes mewn bol.

Dwy chwaer a thrawstiau cryfion yn rhwydo'r
cerrig gleision ar eu taith
o don i don.

* * *

O weld y diwedd daw'r dechrau'n haws
a thoddi diwedd dydd yn fin ar ddannedd yfory.
Yn y miri y mae'r marw a gwerthfawr awr yw honno
na chei mo'i chadw, sefydlog fflam yr angor garw hwnnw.

Cri y cyntaf waedd yw'r olaf gnul,
ac angor rhydlyd dyn yw machlud haul.
Un gragen, gyflawn
gron.

Catrin

Holi

Â thi'n bodoli, gyfaill, nid yw ond teg dy fod
yn cael yr hawl i holi am reswm byw a bod.

Cei chwilio'r holl lyfrgelloedd a thudalennau'r we;
cei rythu tua'r gofod a darllen dail dy de;

cei chwalu'r holl atomau a theithio i fydoedd pell;
cei fesur tro'r planedau a moleciwlau'r gell.

Ond, gyfaill, cei mai ofer fydd d'ymdrechion di bob un:
mae'r ateb i'th gwestiynau yn dy galon di dy hun.

Iwan

Llochesu

Gollwng dy un di, gyfaill,
wrth fy ymyl i, a gad i ni
gyd-arnofio ar y weilgi,
ac yn yr angori, y llongau gwyn, gwyn
a'r haul yn eu hiro,
gwêl o'th gwmpas donnau na sylwaist arnynt,
ar y glas na welaist mono,
na'i fyseddu gynt
a thithau ar dy hynt, i hwnt ac yma.
Yn y stond, lle mae'r glas a'r glas
a'r glesni'n un â'r wylan wen
yn hofran uwch dy ben.

Am dy fod yn hen law ar fodio
a llywio fel dyn o'i go', a pheidio
stopio a symud o don i don
heb deimlo gwymon gwead a'r Hotmail,
y meicro a Film Four
yn codi pwys.
Rwyt ti'n colli pwyth
yn yr hallt, heb dowlu dy angor,
heb gofio ddoe nac yfory,
rhagor.

Yng nghôl yr angori a phori
ac 'aros nes yfory' y gweli di werth,
y pysgod a llawr pren
y llong, sy'n shitrws ers cyfnod
cyn y codi am wyth a'r Weight-watchers
a'r mynd, mynd, mynd heb gofio dod yn d'ôl,
yr hwylio gwyllt er bod dy wallt dros dy lygaid,
a gogledd, de a deall be' di be'
yn gwmpawd coll mewn cist yn y dwfn,
ar goll.

Ac ust! Cymer anadl, gyfaill,
a mwynha weld rhaff gref sy'n dynn

fel tennyn ci gwyllt yn grafanc
yn y môr.
A marw a byw
a deall beth yw,
o'th gwmpas ymhob man.
Yn yr eiliadau melys o orffwys
bydd dy sefydlogrwydd
yn taflu rhes o atgofion atat,
a'r stond arnofio a'r bob-bob-bobio a'r ail-egnïo
yno.

A gwêl, yng ngwyll y machlud mwyn
a'r tegan pren yn sleboga ar y dŵr,
y fath hunllef a fu a'r fath heddwch sy',
a syllu'n hir o bell ar dir, ar linell na all
agosáu, a theimlo cysur angor.
Cei angori, dim ond am bum munud,
ym mhoced cot law
dy stormydd nesaf di.

Catrin

Gwŷr a aeth Falesia....

dychwelyd o wyliau gyda ffrindiau coleg

Gwasgariad –
odli 'da ysgariad,
bron yn cynganeddu ond mae'r proest
yn gweddu
ers i oriau mân Manceinion ein croesawu
â galarnad.

Wedi tair mlynedd yn llys Mynyddog,
wedi'r meddwi ar y môr yn feunyddiol
rhwng darlith a darlith,
cyrhaeddodd ein Catraeth
blinedig, di-arfau ni,
ac nid hollt y darian a seiniwyd ym mhennau mamau
ond clicied tawel drws y bws
yn araf hollti'r gatrawd
i bedwar ban,
a blas y glasfedd
yng nghefn ein gyddfau.

Yn y seddi cefn
rhwng cwsg ag effro
            eisteddai bardd,
yn sobri a phwyllo a phwytho'r stori
o dan haul gwelw, tryloyw'r tir oer
ar y llwybrau troellog, tawel tuag adref.

Hywel

Cywydd y Cwiff

Nos Calan es allan i
Gaerdydd, ac, oered oedd-hi,
Es mewn crys main, y crys ma,
Gwisgwn sent ges gan Santa,
Ac yn fy ngwallt tywalltais
Botel o jel *energise.*

Mowldiwn a sgylptiwn â sgil
I fwng agos fy ngwegil,
A chodi'r cwiff yn stiff stond,
Mawrgwiff uchelstiff chwilstond!
Ac wedi tri chwarter awr
Yr own Ventura enfawr.

Cyrraedd rhyw byb, cwrdd â'r bois,
Cyn camu'n un fel confoi
Siaradus i waredu
Dros y dre, a duo'r stryd.
Brain unsain ar gyrch unswydd
Am lond bar o adar rhwydd.
A gwelsom far cymharol
Low-key yn llawn alcohol,
Ond un clîc dan haenau clòs
Porthorion twp. Wrth aros
Am awr o dan bennau moel
Rhyw ddau gawr enfawr, penfoel,
Codai un mewn jaced dynn
O'i sidewalk yn reit sydyn –

In you go, gan bwyntio bawd,
But you, stop there, ebe'r brawd
O slob, *no roosters allowed.*

Atseiniodd ei fêt syne
Dros yr Ais, *yeah, nice one Ed!*
Ai Ed-die Izzard ydoedd,
Ai stand up o'r West End oedd?

41

Ai'r comedian o mlân-i'n
Y jaced dynn oedd Jack Dee?

Meddyliais am ei ddiawlio
Yn y stryd, a'i dagu, do,
Ond tu ôl i'r hen dwat hwn
Yn gymylog mi welwn
Rhes wisgis dros ei ysgwydd,
A llond bar o adar rhwydd.

Oedais, gwenais yn gynnil,
A rhoi llam o gam drwy gil
Y drws. Roedd adar isod
Yn y bar, ac wedi bod
Ers hir yn aros Eurig,
Yn y man i chwarae mig.

Nesawn at un i'w swyno ...
Stopiais, a gwrandewais, do,
Arni hi yn dweud wrth un
O'i hadar hithau wedyn –

Pwy ddiawl yw'r bachan howlin
Pen mwng? Ma'n fflipin mingin!
Pwy yw'r boi simp, hairy, obsîn?

Ai fi oedd gwrthrych y ferch?
Na! Es yna i annerch ...

Watcha mas, ma fe'n paso!
Ebe'r llall, un gall, ond go
Swnllyd fyd. *Gwed, ath-e? Do.*

Sidestepiais – dewis dipyn
Gwell, ie llawer gwell, ac un
A wnes i yn ddawnus iawn
Ar garlam mewn bar gorlawn.

Mae gan epa deimlade,
Er cynddrwg ei olwg e.

Mae i'r bwch gafr hylla fron,
Ac i geiliog ei galon.
I rooster yn ei dristyd
Nid yw o bwys wawdio byd,
Gwell rhagor yw cyngor cu
Ei gyfeillion, ac felly,
Annwyl wrandawyr hynod,
Pwy sy'n gadarn ei farn fod
Y cwiff yn sgym? Pwy yma
Sy'n dweud fod e'n syniad da?

So heno, dwedwn ninnau
Y caiff bri y cwiff barhau,
Er gwaetha'r diffyg caru,
A'r llond bar o adar hy!

So heno, dwedwn ninnau
Y caiff rhwysg y cwiff fyrhau,
I wella'r diffyg caru,
Caf lond bar o adar hy!

Eurig

Te

Te o'r ne' a'i anian iach,
Gêr i rafin fyw'n gryfach
A gyrru'n gawr lawr y lôn,
Y greal i'r goreuon,
Ateb hud i'r to pwdwr
(Byr yw'r dasg rôl berwi'r dŵr)
Trwy bob awr, tra bo bore,
Bob cyfle – disgled o de!
Y ffisig i bob ffyswr
Rhag pob lol, hen ddwyfol ddŵr,
Cwpanig nid yw'n ddigon –
'Mond llond lle o de yn don,
Rhaid wrth laeth a rhaid wrth li
A'i lanw i 'modloni!
Ffynnon loyw, dŵr croyw cred,
Dŵr Sycharth i drai syched,
I'r cur yn ninistr *curry*
Neu *chow-mein* bydd chai i mi.
Te o fudd, mêt i feddwon –
Te'n lle'r gwydraid, llymaid llon,
Te â'i haf ar y tafod,
Te fy myw yn toi fy mod,
Te yw'r hit i arwr hardd,
Te prifiant, *high* pob prifardd,
Te cynnes ymhob tywydd,
Te i'r galon, ffynnon ffydd,
Tardd i'r corff yn treiddio'r co',
Te o 'mhair eto i 'mhuro.

Aneirin

Mas

Mas, i dre'r mwg,
Gwael ei golwg,
Ond o'i mewn, hon,
Chwil ei chalon.

O ddraen i ddrws,
Stryd i stradws,
Bar i far, fel
Aur ar orwel.

Cab, kebab, iaith,
Gafrio'r gyfraith,
Sick, sex a scents
Yw stad stiwdents.

Peint ar beint, BAR,
Tynnu 'stynnar',
Golwg walet
Fel hen, hen het.

Gwynt od, gwneud hwyl,
Disgo, disgwyl,
Disgo, disgyn,
Man gwag, man gwyn.

Eurig

Angor

(Detholiad)

Lle mae'r afon yn cronni
ei dagrau llwyd ger y lli',
mae hanesion neon nos,
mae rheg yn furmur agos,
a swˆn ein lleisiau heno
fel gwydrau'n gwacau'n y cof.

Rwy'n rhynnu! yn rhyw hanner
siffrwd a sibrwd i'r sêr,
a'r don oer yn sibrwd nôl
yn leisiau gwyllt gogleisiol –
chwerthin, gwin, a sgwrs gudd
yw ei hafiaith anufudd.
Ac yn y drefn anhrefnus –
brawddeg ar frawddeg ar frys,
enwau'n ymwâu at y mor
a'i eigion, llyfr yn agor.

Mae swˆn y môr lle mae tre'n angori,
swˆn traeth oer eisioes yn troi a throsi,
tonnau'n cydio a swˆn gwynt yn codi
yn ddwfn yng nghyddfau ein simneiau ni,
a rhaffau a hwyliau'r heli yn clebran
eu hen ystwyrian fel hanes stori.

Ar hanner stori roedd glaw yn crio,
a'r hen adroddwr yn crynu drwyddo,
am fod lleisiau'r tonnau'n hollti heno
roedd dyn ar ddyn yn troi oddi yno
o galedi i glwydo, rhag swˆn dig
y twrw unig sy'n taranu yno.

Hen ŵr Amser yn nyfnder nos – sy'n troi
   sŵn y trai diaros
   ar graig, yn troi caregos
   yn odl hardd, yn stori dlos.

Stori dlos dŵr adleisiol, – y stori
   am ystwyrian oesol
   tonnau oer, yn taenu'u hôl
   ger y ffin â'r gorffennol.

Sŵn hanesion hen oesau – a gerfiwyd
   ag arf gwyllt y tonnau,
   ewyn arian ar lannau
   a'i iaith oer yn eu rhyddhau.

   *   *   *

Arfordir lle mae hiraeth
yn byw a bod, a dirfodaeth
yn troi ei wên tua'r traeth

ydyw hwn, mae adenydd
yn gysgodion aflonydd
rhyfedd bob diwedd dydd.

Cysgodion yfflon y nos
yn heidio o farwydos
traeth gwag i'r dafarn agos.

Mae hyder nos Fercher faith yn y gwaed,
   yn llygadu noswaith
   o rannu ias yr un iaith
beint wrth beint. Trown o'r bar i ganol
   y gwenu aflafar,
   drwy'r llwch i'r hyder llachar,
drwy'r mwg a thrwy'r dirmygu, drwy'r cega
   ac yna trwy ganu,
   a'r eisiau sy'n ein drysu.
Drwy'r wên nerfus, drwy'r gusan, a wedyn
   drwy'r peidio a boddran.

Ac yna, llithro allan
drwy'r niwl, awn i fwydro'r nos. Awn ni
   at neon yr hwyrnos
   sy'n igam-ogam agos.

Ni'n chwil, yn don o'i cho' – ni sy'n torri
   â sŵn taran heno
   yn rhaeadrau o grwydro.

   Hywel

Melyn

'There was a love affair in this building. The kind of love
affair that every respectable building must keep as a legend.'
Regina Spektor

Roedd miloedd yn gwenu yn ôl arnom
o'r waliau.
Waliau melyn, melyn – melynwy.

Waliau melyn sy'n gwneud pobl gall yn hapus
a phobl wallgo' yn fwy gwallgo' byth.

Ond roeddwn i wrth fy modd,
ac roedd hi'n amlwg
y bu pobl yn caru yn yr ystafell hon.
Gallwn deimlo hynny'n syth bin
fel shwgir losinen
yn treiddio i'r gwaed ar ôl llwgu.
Yn pwno.

Bwriodd fi,
fel sŵn y drws gaeodd yn glep ar ein holau
wrth i ni ddod i mewn
i sbecian ar ein dyfodol.

Catrin

Cusan platfform trên

ar noson ola'r tymor

Cerddasom ar hyd ei strydoedd,
yn clywed, ffroeni, blasu,
a gwasgu i gof
ei llais meddw
a'i phersawr myglyd,
fel y gallem ei harogli
ar obennydd y bore.

Sibrydem,
law yn llaw â hi,
ond roedd hi'n dywyll o dawel
dan neon y Nadolig,
a'i drysau'n clepian
yn atebion unsill.

Ymgollais yn ei phrydferthwch,
a baglais dros balmentydd y ddawns ola,
cyn plannu cusan
anghyfforddus,
fel cariadon yn ffarwelio
ar blatfform trên.

Hywel

Llew Du

Llew Du, lluest
Iest.

Llew Du, lle da iawn,
Yn y pnawn.

Llew Du, hallt iawn,
Ciniawn.

Llew Du, llwyd iawn,
Oni awn.

Llew Du, gwyllt iawn,
Llawn.

Eurig

Môn

Mae 'na ynys dan enfys oer
sydd fel y bedd ar ddiwedd haf

cans cyn gynted ag y diflana Medi
troi ar hast wna'r twristiaid
nôl i drefi cul, hydrefol
a'u lleisiau a'u hwyliau o'u hôl.

Dan sgarff gynnes yr es i
i'r ynys oer ryw nos Iau,

es i dros y weilgi i weld
un darn o dir a'i enw'n dôn
na wnaed gan ddyn a'i nodau:

hen dôn a ddaw o dannau
offeryn hud na phryn aur.

Yno, ar nos Iau unig,
ces deimlo hen gyffro'n y gwynt
yn dweud o hyd am dadau dewr
a brodyr hen baradwys,

am obaith yn llygaid meibion,
am deulu, am Gymry gwâr.

Boed llanw neu drai ar y Fenai fud
gwn paham mai mam yw Môn.

       Iwan

1 Nant Gwrtheyrn

Taith lenyddol y dosbarth Lefel A, 1999

Yn fws o chwerthin
Y gadawsom y cwm,
Dros fynyddoedd yn gwgu
Ar hewlydd y wlad a ninnau
Fel gwaed trwy wythiennau Cymru
Yn dyrfa swnllyd
At lonyddwch y Nant.

Sdim smic
Am awren yng Nghilmeri
A maen y cof yn minocáu
Geiriau Gerallt
Yng ngalar y glaw.

Wrth geisio copa'r wyddfa
Tu hwnt i'r barf o gymylau,
Awn ymlaen ar ein hynt
Yn gynt ac yn gynt
Nes i'r gwynt ein bwrw
A llithfaen yn teimlo fel
Penn ar Bed.

Yn y y Nant
Mae'r chwedlau'n fyw
A ffyrnigrwydd y talwrn
Rhwng y ddwy ddraig
Yn dal i siglo'r meini,
Ac yn nant
Mae'r meini'n siarad
Yn adrodd eu hanes
O wrando'n astud.

Yn bob math o acenion:
Rhai ochr y geg a rhoi llond ceg
O farblys, acenion Wil Gobl Gobl

A Siôn Blewyn Coch,
Yn llithriadau Dysgwyr
A geiriau mawr geiriadurol,
Ebychiadau Mostyn Fflint
A mwynder braf y Wenhwyseg
Fel sŵn y llanw'n siffrwd
Yn y bae.

Ac ar ein teithiau
Y nant oedd ein cyrchfan
A'i meini yn groeso i gyd
Drwy'r cyfnos anghynnes –
Yn 'studio'r crac yn wal 'rysgol
Ac o Ryd-ddu
I loerigrwydd y Lôn Bost
A galar Bedd Gelert
Yn ddim yn wyneb dagrau Llanfaes.

Yn y Nant,
Mae'r meini'n siarad
O wrando'n astud.

Aneirin

Bedd Gelert

Wylodd, wylodd Llywelyn
hafau yn ôl yn fan hyn:
y gwir oedd dan grud yn gudd
a'i gi'n gelain gan gelwydd.

Yn ei glwyf yr oedd llond gwlad
o alar:
   mewn un eiliad,
un eiliad o anfadwaith,
stori drist a roed i'r iaith.

Ond tra dŵr glas yng Nglaslyn
a nes daw'r haf olaf un
i ben, fe fydd stori bert
a galar wrth fedd Gelert.

Iwan

Aberystwyth

I rai mae'r prom a'r parêd,
Rhai'r arafu, rhai'r yfed.
I rai'r hanes, rhai'r hinon
A'r Llew Du, eraill y Don.
Nid yw Aber ond dibyn,
Ni phery'r iau, ni ffy'r hŷn.
Ond o'r ochor edrychaf,
Ni ein dau a hithau'n haf.

Eurig

Kebaber

Mae cael kebab yn Aber
fel tynnu, neu syllu ar sêr
noson allan, fel canu
i dwrw dwfn y dŵr du,
mae'n ddefod lwyr hanfodol,
ac mae'n hen offeren ffôl.

Mae'r cig arbennig mewn bocs
yn wynfyd mewn melynfocs,
mae'n golestrol nefolaidd
a'i saws o yn brifo braidd
wrth i'w lif, â nerth lafa
losgi'n chils dy donsils da.

Pan oedd oldeiar arall
yn torri cwys chwarter call
drwy hen dre yn dwrw hyll,
i'w tai aeth meddwod tywyll
Yr Angel i dawelu,
lleuad oer oedd lliw'r Llew Du.

Ac yn llwch yr elwch hyn
yn gawl o unigolyn,
yn gaib, ac yn wir, yn go
wrecked, er yn trio actio
mor sobor â saith o'r saint,
yn ddof, mewn dioddefaint,
baglais, starffaglais o'r ffordd,
effiais i mewn o'r briffordd,
at arwyddion neon, hardd,
yn oedfa o lwyglydfardd,
ffroenais rhyw gyffur anwar,
y grease o gylch cig yr iâr,
ac wrth igam-ogamio
at hud ei goes eliffant o
mi wenais, llusgais yn llon
a sigledig at sglodion,

fy meddwdod amhriodol
yno, gan daro sawl stôl,
nodiais fy mhen blinedig
at leufer y cownter cig,
a phwyso fy nghorff arseholed
ar bared fel pisshead powld
a dewr, er ddim hanner da,
mynnais llond bocs o'r manna
yn falch, mi archebais fyrdd
o winwns lled felynwyrdd,
a saws gwyryfol a sur,
fel eira ar Foel Eryr
yn gorwedd ar gig euraidd,
yno, i'w flingo gan flaidd.

Ces fy naan, ces hunaniaeth,
ces i fy hun focs o faeth
gan sant mor gynnes ei wên,
foi huawdl, ceidwad y fwydlen.

I ddiolch, es yn ddiwyd
a hel fy shrapnel ar hyd
ehangder ei gownter gwyn
a herio, fel dihiryn –
'Mae digon, mae digonedd
i dalu iawn am dy wledd!'
cyn mynd allan dan ganu.

Ond wrth dra'd adeilad du
baglais, arswydais wedyn
a dal yn fy mhryd yn dynn,
ond yn araf, araf, aeth
yn un â stryd hunaniaeth,
fy ngholled, nis arbedwyd,
ac aeth gwên llawen yn llwyd.

Mi odlais dros fy mwydlawr,
beth i'w wneud? Beth i'w wneud nawr?
Ei grafu fel gŵr afiach
oddi ar fy socs i'r bocs bach

yn ei ôl? Neu anelu
i ffwrdd o wae'r hen ffordd ddu
a chario gwagflwch arall
at fin llwch y duwch dall?
Yn dawel mi adawyd
â hiraeth fy lluniaeth llwyd.

Y mae pisshead yn ddedwydd
â gwledd ar ddiwedd ei ddydd
o yfed diedifar
o wydyr budur y bar,
ond mae gwledd i wŷr meddw
yn her i'w sobreiddiwch nhw.
Hawdd cael kebab yn Aber,
ei lyncu – hynny sy'n her!

Hywel

Pantycelyn

yn ddeg ar hugain oed

Yn dri deg mae'r anrhegion
Yn o sad, yn ôl y sôn.
Travel clocks a socs o'r sêl,
Stwff glanhau a dau dywel,
Myg lle bu jyg, a jogging
Shoes a blues lle bu bling-bling.

Yn adeg y dyledion
Heneiddiodd hi'r neuadd hon.
Yn oedran codi gwydrau
I diwn nad yw'n mynd yn iau,
A yw'n amser i gerrynt
Iach y sîn barchuso'i hynt?

Ydio ddiawl! Nid rhyw gawlio
Mae Panty na cholli'i cho',
Nid yw Nawr yn mynd yn hen,
Ni ddaw neuadd ein hawen
I'w hoed-'i byth tra ceidw'r
Presennol llethol ei llw.

Oni chlywch o wal uchel
Y Ffynnon ni'r dynion del
Yn canu'n llac yn ein llys?
Canu am fory'n farus
A chanu coch yn y Cwm
Fu'r llys Dilys ers talwm.

Ni all rheol ffôl na ffi,
Na'r un pwyllgor cynghori
Noddi neuadd ddiniwed
I'r rhain ar lawr neu ar led.
Adeilad i wehilion,
Noddi hwyl mae'r neuadd hon.

Cwyd, pan ddaw Derec wedyn,
Cwyd yn blaen o'i flaen fel hyn –

Cwyd fys o boced y Fall,
Cwyd fys hir, cwyd fys arall,
A chwyd y ddau uwch dy ddwrn
Ac ysgwyd croen ac asgwrn!

Ond efe ni wêl dy fys
Oni weiddi'n gyhoeddus
Blydi hel! o'th blaid dy hun,
Ac o blaid y cwbl wedyn.
Os cwd, cwd ifanc ydwyf,
Cyfiawnhau y cyfan wyf.

Yn Sycharth, os yw achos
Owain yn oer, os yw'r nos
Yn Aberffraw yn dawel –
Mae llu ym Mhanty'n ymhel!
Beth yw tranc? Ifanc yw'r co'
Presennol parhaus yno.

Neuadd gre', ddigri yw hon,
Neuadd, ogof o ddigon,
Neu fil o glyd ogofâu
Yn ei labrinth o lwybrau,
A thyrau braf ei hafiaith
Yw tyrau aur getto'r iaith.

Ond nawdd od y neuadd hon,
Neuadd lwyd o ddyledion,
Yw bod ei holl aelodau
Â dim i'w wneud ond mwynhau.
Nid tŷ nad un heb ei do,
Nid byd, byd heb libido!

Yn nydd rhifo'r neuaddau
A rhoi rhif ar werth parhau,
Yn nydd dy enwi o hyd
Yn ifanc eto hefyd,
Os dydd dy barchuso di,
Deg ar hugain dy grogi!

> Eurig

61

Llawenydd

Ar ddiwrnod pan oedd corneli'r adeiladau mor gynnes
aneglur,
yn siglo fel y gorwel yn y tes,
troesom at y tir oesol,
y tir sy'n anadlu bob yn ganrif.

Ond er arafed yr anadl rhwng y nentydd bywiog
a'r goeden gnotiog
a'r creigiau plethog, dramatig,
methai Amser beidio â sylwi ar y golau yn ei gwallt
a'r llais yn ei llygaid yn chwerthin,
a sibrydodd lythyr caru
yn nyfroedd y dyffryn eang.

Bwrw'r lôn,
a oedd fel pe bai arlunydd wedi'i gosod
ar gynfas ein prynhawn,
a'i bensel diwyd yn ein harwain
at y darlun hyna'n bod ym Mhontarfynach.

Cyrraedd y ceunant cyfyng,
lle na gyrhaedda panig wreiddiau dyfnaf iaith,
ac nid rhuthr gwaith oedd y coch yn ein gruddiau
na'r anadl fer wrth grochan amser,
ond rhuthr llonyddwch yn nireidi'r gwlith,
a chyffro'r dŵr
yn chwyrlïo,
curo,
troelli,
Fel ffrydiau'r galon.

*   *   *

Ym Mwlch Nant yr Arian diogai'r dydd,
a mwydo rhwng dwy wên
ac adain barcud.

Roedd silwèts mor ddiffiniedig yn dal oriau
rhwng eithafion eu hesgyll,
fel pe bai eu curiadau llyfn
yn gosod eu rhythm i ddawns y funud.

Cerddasom yn freintiedig yng nghyfaredd eu
cysgodion.

Law yn llaw cylchasom y llyn,
a chwerthin ar y llawenydd
a ruthrai drwy'r brwyn,
a raeadrai o bigau'r brain drwy'r bryniau,
a thrwy hyn oll, dilynai'r ceidwaid ni
oddi fry,
yn disgyn ac esgyn yn fodlon, wyliadwrus,
ynghrog wrth gortynnau'r gwynt.

Ac wrth ddychwelyd goeden wrth goeden
o'r llyn agored,
cysgodwyd ein camau
fel pe baem wedi gweld mwy na haeddom
o'u walz ysglyfaethus,
urddasol.

Ond taflasom ein chwerthin o'n llygaid edmygol
at eu cysgodion,
a bwrw breichiau llawenydd o gylch ein gilydd.

Bwriasom y lôn eto,
a gwibio'n ôl at brysurdeb,
gan synhwyro'r haul yn gwenu'n
dameidiau hallt yn y gorllewin gwyllt,
a'r arlunydd yn ymlacio
a golchi'i frwsh yn y tonnau cochion.

Hywel

Y Môr

Ma clogwyn Pwll y Gest
  Yn gwgu hyd yn o'd,
Nid yw y trai ei hunan
  Yn hwyr i gadw'r o'd.

Draw acw'n bell o'r golwg
  Ma plant o geg i geg
Yn joio chwerthin sgrechen
  A hithe ond yn ddeg.

Nid yw'r rhieni'n trwblo
  Tra bo hi'n dywydd da,
Ma cino'n para'n hwy na hir
  Tra bo fan hufen iâ.

Ma rhai yn codi barcud
  Fan draw yn uchel iawn,
A'r cregyn bach yn llosgi'n wyn
  Yn houl mawr y prynhawn.

Ma'r bois o'r harbwr eto'n
  I throi hi at y bar,
A'r mame'n hel a shiglo
  Eu cwrlid rhag y car.

Dim ond y llanw dudew
  A ddaw i gadw'r o'd,
Dros rimyn byr o dywod
  Sy'n dangos ôl ei thro'd.

        Eurig

Yn y Pridd

Wrth i mi arddio, ddiwedd pnawn
doedd dim yn tycio.
Dim ond ti daenodd drwy'r meddwl,
fel mwsog yn lledaenu dros y slabiau cerrig.
Roedd hi'n ddiwrnod godidog
a'r haul yn sgleinio ar betalau.
Dyna'r diwrnodau gwaethaf,
pan mae dyletswydd mwynhau.
Tynnu ar wreiddiau chwyn yn styfnig
a'u cael o'r ddaear,
yn glwstwr blêr o wreiddiau a phridd.
Eu siglo, a'r pridd yn cwympo
gan adael gwreiddiau cyflawn,
fel nentydd gwyn.
Ond roedd darnau mân dy wreiddiau di
fel blewynnau o wallt
yn dal yn sownd yn y tir.
A gyda'r hwyr, af i olchi'r dydd o'm dwylo
a'r pridd yn dalpiau du mewn sinc gwyn.
Ceisiais dy olchi dithau hefyd,
o'r co,
ond roedd darnau bychain o bridd
wedi treiddio dan f'ewinedd.

Catrin

I Ysgol Llangynog

adeg dathlu ei thri chan mlwyddiant

Mae Mehefin diflino'n
fyr ei wynt yn nhai y fro,
yn sibrwd, sibrwd y sôn
am y lonydd melynion
sy'n arwain ein hatsain ni
yn hyderus at stori.

Mae'n ben-blwydd ar hen lwyddiant
ein plwyf, ac yn nathlu plant
clywn yr hanes cynhesaf
a chanu iach tri chan haf
yn lleisio'r egwyddorion
oesol, gwahanol yn hon.

Dilladwyd â lliw hyder
y sawl a godwyd i'r sêr
gan geiniog gyfoethocach.
Gwelodd plentyn bwthyn bach
lorio waliau'i orwelion
yn yr ysgol leol hon.

Yn Llangynog arfogwyd
â geiriau eu lleisiau llwyd,
rhoi i garfan darian dysg,
rhoi i fyddin arf addysg,
byddin eofn i'w hofni, –
byddin y werin yw hi.

Cymhennodd ein cymuned
i'w hacer hi, gwreiddio cred
rhwng muriau'r tymhorau maith,
a thynnu llwythi uniaith
ynghyd ar hyd ffiniau bras
dwy iaith yr un gymdeithas.

Ysgol deuluol yw hi,
a hon fu'n aelwyd inni
pan fu camau dechrau'r daith
yno'n rhy betrus unwaith,
hafau'n cyndeidiau ydyw,
hen, hen iaith ein hwyrion yw.

Mae Mehefin diflino'n
fyr ei wynt ar hyd y fro,
yn gweiddi yn gyhoeddus
ar i'r llan, cyngor a'r llys
lwyddo i wrando'r stori,
a neges ein hanes ni.

Hywel

Rhydaman yn y glaw

Ma' hi'n fore streic,
ond dwi ar fy ffordd i'r gwaith.
Ma'r ffordd yn glir,
'sdim bysus ysgol chwaith.
Ma' plant y dre'
mor rhydd â bag mewn llaw.
Ma'n nhra'd i'n wlyb,
Rhydaman yn y glaw.

Ma' hetie bach tryloyw
mas yn llu
a'u plastig tene, twp
yn sgleinio fry.
Ma' gwalltie gwyn yn sych
rhag dŵr a baw,
a finne'n shwps,
Rhydaman yn y glaw.

Ma' ffenestri'r caffi bach
yn stêm i gyd.
Mae'r glaw yn lapio'i freichie
am fy myd.
Mae'r cloncan yn fyddarol waeth beth a ddaw.
Masgara tsiep,
Rhydaman yn y glaw.

Ma cŵn y dre yn ddiflas –
cotie trwm
a blode'r siop-bob-peth
yn llipa, llwm.
Mae chwant mynd bant, ffarwelio, codi llaw
a dianc rhag
Rhydaman yn y glaw.

Catrin

Cwm Gwendraeth

O agor cil dy lygaid
ar wedd Cwm Gwendraeth, o raid
ni weli di yr un dim,
'mond creiriau: dyddiau diddim,
drysau clo, hen lamp glöwr,
pyllau 'di cau ym mhob cwr.

O ail-agor dy lygaid
gweli, o'r rhwydi, ryw haid
o löynnod yn codi'n
gylch ac maent o d'amgylch di'n
cynnau lampau golau'r gwaith:
glöynnod y glo uniaith.

Iwan

Darluniau

I Gymoedd De Cymru

Rwy'n gweld wyneb yr hen gwm
Yn drist a'r dagrau yn drwm
Wedi'i herlid â hirlwm.

Dwy ael fu'n chwysu dolur
A gwên sy'n cuddio hen gur
Yn chwalu haenau'i cholur.

Hen fochau oer, afiach ŷnt
Yn rhynnu'n y dwyreinwynt,
Tristwch sy'n llifo trostynt.

Gafael yn ei ysgyfaint
Wna llwch yr holl lo, a'i haint
Yn annog rhychau henaint.

*   *   *

Â chof na ŵyr am gofio
Y daw'r rhai chwil heb dri cho'n
Ddihurod heb ddihareb
Na iaith a'u cyndeidiau'n neb.
Ar feiciau ânt drwy faw ci,
Criwiau'n hawlio'r corneli
Yn wystlon i fis Ionawr
Â dim i'w wneud yma nawr.

Drwy'r cwm, draw ar y comin,
Rhua haint yr heroin
At oerfel capel 'di cau;
Offeiriaid y cyffuriau'n
Rhoi eu bendith i'r bandit
Am un awr ag amen hit.

'Hiya luv' yw'r alaw hyll
A genir wrth ymgynnull
Yn hwyrnos y tafarnau,
'I'd do you!' sy'n uno dau.
Syched merched amharchus
A chwant y bechgyn yn chwys
A'r iaith fain drwy'r nerth o fod
Yw'r tyfiant ar y tafod.

Dymunaf weled Monet
Nid twyll a loes twll o le,
Graffiti, gŵr a phutain
(rhwd yn yr injan yw'r rhain)
a gwan iawn yw eginhad
yr Heniaith yn y drinad.

*　*　*

Rhwyfa'r bardd ar fôr y byd
A rhwyfa'r peintiwr hefyd,
Y rhain sy'n dal yr ennyd.

Dyluniaf ein chwedloniaeth
Yn awdl i bob cenhedlaeth
O greu celf â geiriau caeth.

Yn oriel llawn Aneirin,
Gwaed ei waedd o'r Gododdin
Sy'n herio a pheintio ffin.

Yn straeon manylion mân,
Angerdd sy'n cael ei yngan,
Van Gogh sy'n fyw yn y gân.

*　*　*

Daw alaw o'r ysgolion –
Rhyw do iau sy'n morio'r dôn,
Ar yr iard yn canu'r iaith
A'r heulwen yma'r eilwaith.

Llafnau yn dechrau ar daith
Heb adnabod anobaith,
Heb weld ei wyneb o ias
Dan barddu – dyn heb urddas.
Heb glywed biwglau haearn
'N waedd y fall ar ddydd y farn,
Brolio tafod diafol –
Rhyfelgan o sidan siôl,
Nac arswydus gri Sodom
Na byw drwy newyn na bom,
Heb deimlo byd o ymladd
Na llwgrwobrwyo na lladd.

Wrth hala neges destun
Neu rhwng cusanau dau'n dynn,
Cwrdd â phobl, datrys problem,
Yn y gig, wrth chwarae gêm,
Llawn o obaith yw'r iaith i'r rhain
Er y daw'r gwynt o'r dwyrain;
Yn ddreigiau o ddarogan
Mae'r to iau am ruo tân!

*　　*　　*

Af am ennyd at wynfyd fy nghynfas
A pheintio gardd llawn o flodau barddas,
Yn lle hirlwm – lliwiau irlas; daw iaith
Gobaith â'r campwaith yn fyw o'm cwmpas.

I droi bwledi'r rebel a'i wawdio'n
Gusanau cariad, calonnau'n curo,
Peintiaf lun a dihuno'r dadeni
Â'r cwm a'i regi'n dechrau cymreigio.

Daw rhyw oleuni o olew'r darluniau
Fel hynt hen gerrynt drwy rythm y geiriau'n
Hwb o hyder i'n bywydau a'n byd
Yn lliw i gyd, yn sêr mewn llygadau.

Â'n hasbri daliwn yr ysbrydoliaeth
Ac awn tua'r brig â'n gweledigaeth
A hudwn â'n cenhadaeth â ninnau
Yn canu awdlau ymhob cenhedlaeth.

Aneirin

Yn y Bae

adeg Eisteddfod yr Urdd

Yn y bae mae bwhwman
Uchel hen gythrel y gân
Yn cwato rhwng y corau
Hynach a bach yn y bae.

Yn y bae daw rhai o bell
Eleni i weld amlinell
Un adeilad a'i olau
Yn denu byd yn y bae.

Yn y bae mae rhai'n sbïo
Ar ryfeddod od ei do,
Ac eraill ar y geiriau
Hwythau yn boeth yn bae.

Hwn yw'r bae dan warchae'n hiaith,
Seiliwyd y ddinas eilwaith,
A chyffro iach ei pharêd
Yw byw'n urban i'w harbed.

Eurig

Cân y Gymraeg yng Ngwent

yn 2003, nythodd pâr o gambigau yng Ngwarchodfa
Gwlyptiroedd Gwastadeddau Gwent am y tro cyntaf erioed,
gan fagu pedwar o gywion

Bu'n bwrw glaw mor dawel
heb newid, heb un awel
yn y dwyrain di-orwel

a phob tiwn a lliw'n pellhau.
Nid oedd, ar wastadeddau,
adain i gario nodau

sgôr y miwsig i'r meysydd.
Ond yna daeth adenydd
fesul pâr o adar rhydd

i dir llwyd yn droelliadau
o liw hud: goleuadau
yn dod i Went fesul dau.

Heddiw, ar wastadeddau,
hyder sy'n llenwi'r nodau
a chlywn drydar adar iau'n

riff gitâr a'r adar rhydd
mewn cytgord: daw disgo'r dydd
â grym miwsig i'r meysydd.

Iwan

75

Croeso i Gymru

Fe deithiais fyd o ieithoedd
heibio i Loegr, ei chrawc a'i bloedd,
dyfalu hynt adfeilion
o le i le ar y lôn,
Ebychu ieithoedd bychain,
meddwi ar eu cerddi cain,
hwylio nen, dilyn y wawr
a herio treigl fy oriawr
o fynd i bum cyfandir,
ond darn, dim ond darn o dir
a 'ngeilw i'n iaith fy ngwlad,
tri gair yn trawio i guriad.

Aneirin

Can-rhannu

Cyngor swyddfa'r Gweinidog dros Ddiwylliant, yr iaith Gymraeg a Chwaraeon, sydd yn dal i fynnu mai rhywbeth i'r 20% yw'r Gymraeg

Wrth gerdded ar hyd strydoedd ein Cymru PC,
Os glywch chi eiriau sy'n ddieithr i chi,
Da chi gorchuddiwch glustiau eich plant
Rhag clywed iaith aflan yr ugain y cant.

Trowch y radio i fyny er mwyn boddi sŵn
Y mwydro dieflig sydd fel cyfarth cŵn,
Rhag clywed y geiriau fel t'wysog a sant,
Sy'n rhoi tân yn llygaid yr ugain y cant.

Ma' nhw'n byw ym mynyddoedd y gorllewin coch
Ac yn sibrwd cyfrinachau, boch ym moch,
Yn gosod propaganda i alaw cerdd dant,
Hen ddiawled digywilydd yw'r ugain y cant.

Ma nhw sleifio fel guerrillas ar hyd y lle,
Yn canu clod i ETA a'r IRA,
Chi'r pedwar ugain, cofiwch redeg bant
Os gwelwch chi aelod o'r ugain y cant.

*   *   *

Wrth fwydro a brwydro ble bynnag y boch
Am hynt y Gymraeg, dadleuwch yn groch
I gyfeiliant pob nodyn, pob telyn, pob tant,
Bod hi'n perthyn i bawb, nid i ugain y cant.

Hywel

Terfysgaeth

Yn yr aer uwchben Irác
Mae hisian pell fel *musak*,
Grŵn a'i sŵn yn agosáu
Â hydoedd i'r eiliadau...

Â'r ffrwydro fel syrthio'r sêr
I hedd amdo diddymder,
Trodd ein byd yn fud gan fom
A chan sgrech yn wich ynom
Ac o olew ffrydiai'n galar
Fel lleidr sgwrs i'r filltir sgwâr...

Eryr aur sy'n herio'r ha'
Yn rheibus dros Arabia
I dywyllu'n diwylliant
Dan chwip 'i adain â'i chwant,
Bwrw'i gynnen i'n henwlad
Wrth ruo seinio'i grwsâd,
Honna'n ffals yn enw ffydd
I greu rhyfel â'i grefydd
A striwa'r drefn – stori'r drwg,
Glania'r gelyn o'r golwg...

Ag utgyrn geilw'r gwaetgwn
O'u tlodi i godi gwn
A hawlio'n hen anialwch
A'r crud o olew drud yn drwch
O dan dywod yn dawel,
Striwa'n byd a'i fyd yn fêl...

Yn folgi â rhyfelgan
Ar rodeo mae'r *macho man*,
Chwarae golff a chario gwên
A'n hanialwch dan niwlen
Yn un gwyll â'r dryll yn drefn
Yn benrhwym rhaid byw anhrefn.

Gwneud mat o ddemocratiaeth
Wrth iddo droedio ar draeth,
Tra Irác gall ymlacio
A thân ei derfysgaeth o'n
Dwyn ein siâr i'w gadw'n saff
Tra haera fod yn seraff.
Nid dwrn nad dwrn sy'n dirnad
Mwrdro wrth herio'r Jihad.

Ni wêl ef ystyr 'na ladd'
Na'r englyn wedi'r angladd.

Aneirin

Dadlau

I Rhodri Morgan a'i lywodraeth

Mae odl mewn dadlau,
mae bwrw'r bêl
'yn ôl ac ymlaen'
yn bywiocáu.
Mae styried a chyfaddawdu
yn miniocáu,
ond mae ôl dishmol di-ddim
ar dy ddadlau di.

Tu ôl i wedd democratiaeth
mae gwrthod rhyfeddod y ddadl,
gwin gwleidydda
a gwên.

Dy ddadlau di
yn y siambr erbyn heddiw
yw clywed gwrthblaid
a dadl deg gan hwn a'r llall,
heb falio ac heb wrando.
Dy ymateb di yw gwawdio
a difrïo a chwerthin
am ben ei siwt o.

Nid dyna ydy dadlau.

       Catrin

Hosannau ar draed Senedd

ar achlysur agor adeilad newydd y Cynulliad

Hawdd iawn yw rhoi newydd wedd
hosanau ar draed Senedd,
heb iddynt roi'r un baddon
i groen hyll migyrnau hon.

Ond o hyd ym Mae Caerdydd
yr un ydyw'r cornwydydd.
'Run wedd ei hewinedd hi
a thyllau ei phothelli.
'Run hen froc, 'run farwcas
bach duon yn gwynto'n gas.

Rhoed dodrefn ar ei dwydroed,
ond yr un ydyw'r ddwy droed.

Iwan

Oriau mân

Noson agoriad swyddogol adeilad y Senedd

Mae pefrio'r sêr wedi'r diwrnod oer
o gylch y bae
yn goron ar y cyfan,
a tho hir ein Senedd
yn dafod,
am lyfu'n awchus
o donnau du'r môr, ac o dramor
gan lowcio ryw hyder tawel.

Hyder, nid fel ton
ond yn llif cyson
fel nant y mynydd,
a'i diferion tawel
yn llifo,
heb sŵn hyd yn oed.

Mae tafod to'r Senedd
yn sychedig am hynny.
Nid am heip
ac nid am ein hawr fawr,
ond am hyder ein horiau bychain,
di-nod.

       Catrin

Eiliad i feddwl, 'mond eiliad

Ai doli ynte delw
i'w addoli'n ddwl
yw'r angel sy'n hongian
o'r nen
uwch y goeden gain?
Draw yn y dre
mae 'na fôr o fwrlwm
a phobl a'u ffags
a'u miri mân, draw yn y dre
yn chwydu pob llychedyn
prin o'u harian er mwyn prynu arwyr
a gêmau hoff y 'bych'. Pa iws i Siôn Corn rhagor?
Ac erbyn dyfodiad ebrill a'i gawodydd
a Mai a'i oriau araul
i gysgodi lliwiau
gwyn y 'dolig diwethaf,
ymhle mae'r arwyr i'w canfod?
Yn gweithio'u ffyrdd i gysgu dan
gwrlid llychlyd llwyd
yr atig. 'Sneb yn becso dam am rheiny.
Caiff *Barbie* ac *Action Man*
eu rhoi i fyw mewn rhyw focs.
Daw rhai yn ôl ymhen blynyddoedd
Yn atgofion arswydus,
trig eraill yno.
Ac ymhle mae'r twrci yn y beibl?!
Bob blwyddyn, ceisia'r
twrcwn eto i hercian
heb obaith
rhag ffwrnesi'r mamau a'u bachau budron.
Stwffiwch y Nadolig !
A ddaw Action Man yn ôl cyn bo hir
megis Arthur i adfer gwir ystyr y Nadolig?
'Does bosib fod yr ystyr
yn stwffiedig hefyd yn nyfnderoedd
ymysgaroedd y twrci druan.
Beth am y doethion?

Pwy sy'n cofio rheiny ynghanol miri
canol y dref? beth am
y baban Iesu a 'u boenau oesol?..
O rialtwch y dre
af i eistedd am eiliad
a meddwl, 'mond am eiliad,
ond fe ŵyr pawb beth a ddaeth o feddwl...

Aneirin

Cnebrwng yr Haul

Pwy fu'n creu cân y lleuad, yn wybren
   y cnebrwng, yn farwnad
   dawel uwch ymadawiad
   yr haul hwyr am dir y wlad?

A phwy fu'n gofyn ffafor y cwmwl
   yn y cwm fel tenor
   a rhoi cais i sêr y côr
   roi yr haul ar yr elor?

Ai, o reidrwydd, olion rhyw ffrwydrad craidd
   fu'n creu'r ymadawiad
   neu ai pŵer tyner Tad
   a luniodd y diflaniad?

    Iwan

Ymson

Yn nhŷ Duw mae hi'n dawel.
Tynnaf fy nghap yng nghapel
Yr ŵyl, gan ddisgwyl a ddêl.
Ddaw o ddim, yn niwedd Awst,
At y tŷ, er cymaint haws
Dod i'r oed o dan ei drawst
Ei hun, yr hanner tennant.
Fe gannaf ei ogoniant,
A chael bod Duw yn byw bant.

Rhy eironig o'r hanner
Yw bollt i gloi holl bellter
Duw yn sownd o dan y sêr.

Eurig

Bysedd fy mam

Mae pob un bys sydd gan fy mam
yn cynrychioli deg o hafau.
Deg o hafau gofiaf i.
Mae ei bysedd
yn rhifo'r hafau hynny.

Cochyn y bochdew yn cnoi bys
a'i ddannedd yn tynnu gwaed.
Bys fy mam yn goch,
yn ymolch mewn hufen iâ ymhen yr awr.

Bysedd fy mam yn y pridd,
ar ei chwrcwd a'i gwallt yn ei cheg
tra mod i a'm chwaer yn
trefnu angladd malwoden.

Bysedd fy mam yn staen porffor
a sosban enfawr yn ffrwtian.
Haf bach Mihangel
a mwy o fwyar duon, rhai'n dew, rhai'n dynn
(newydd eu casglu)
yn dwmpath godidog
mewn hen focs hufen iâ.

Dwyn rhai, a'r dystiolaeth
yn sbloets ar enau.

Bysedd fy mam yn troi'r ddalen
a hoe prin yn troi'n fonllef
wrth i 'nhad wisgo fel cleren.
Sbectol sâl oedd y sbectols hynny.

A gyda'r nos, ar wely,
yn sŵn yr adar a'u trydar hwyl-fawr-i'r-haul
roedd bysedd fy mam yn rhyfedd,
wrth i'm chwaer a minnau
dynnu ei modrwyon

â'u gwisgo fesul un,
yn drwsgl
am ein bysedd.

Petai bysedd fy mam heb fodrwyon,
nid fy mam fyddai hi.

Catrin

Katell

Heno, 'sdim un gair
gwerth ei yngan
na rebel o fys eiliade
a fynn fynd sha nôl,
'sdim un gwanwyn
a all leddfu'r gaeaf hwn
nac 'Ankoù' trugarog
a'i gryman dal heb gwmpo,
Dagre'r lleuad sy'n gwlychu'r sêr
a heb ei gwên y mae'r wawr ers dyddiau.
Heno, gwag yw'r bydysawd,
hebddot ti
gwag yw'r geiriau hyn,
heb lygedyn o ole,
heb ddim ond twll du yn dy le,
hwnnw wedi llyncu'r
planede cyfagos yn gyfan.
Ond heno, gall, fe all y cof
fframio dy wên ar furiau ei oriel.
Caeaist y drws yn glep
a mynd.

Aneirin

Y Fo a'r Ci Du

A'r noson honno, gyfaill,
wylaist wers,
ac wylo unig oedd.
Wylo dagrau na welodd neb monynt.
Sefaist yno'n fud,
ac adeiladau'n dadleth,
yn meddwl dim am fod 'dim mwy'
a 'dwi mor flin' yn crafu'r croen,
yn gwt ar dy fraich, nad yw'n brifo,
â thithau, yn dy alar.

A'r noson honno, gyfaill, profais dy ing
er na wyddost.
Gwelaist gi du
heb feddwl mwy, a chodwm
dy sachau du dan lygaid
mewn stryd unig wedi'r 'Llew',
yn llefain diwedd llyfr.

A'r noson honno, gyfaill, tyfaist
heb weld prawf y prifio.
Oherwydd yn dy wylo,
cododd blodyn rhywiog
a'r pwll dŵr dan draed
yn llymaid i'r hedyn dyfu.
Cafodd dyn ei eni.

A'r noson honno, gyfaill,
a'r ci du yn syllu
llygaid soseri arnat,
yr oedd ei phersawr
yn dal i fwydo drosot
a'r byd di-liw yn edliw
a'r stryd yn wreichion
atgofion.

A'r noson honno, gyfaill,
clywais dy wylo
a dod i'r stryd yn bedair pawen,
yn flew ac yn wên, gan geisio cwmni
un a deimlai'n ddu
fel fy nghôt, a dod dan deimlad,
dod fel ymddiheuriad
ar ei rhan.

Catrin

Coelcerth

Yn seiliedig ar hanes a glywais am wraig a gollodd ei gŵr yn yr Ail
Ryfel Byd. Drigain mlynedd yn ddiweddarach, a hithau dros ei
phedwar ugain oed, penderfynodd losgi'r llythyron a anfonodd ef ati
o'r ffosydd.

Oes, mae ôl darllen ar y tudalennau,
Ôl bodio'r corneli, ac eleni melynion
Yw'r ugeiniau o amlenni cans am drigain mlynedd
Eu llinyn cyswllt fu'r darllen cyson.

Daethai i'w hanwesu mewn defod wythnosol:
Rhannai â'i weddw, ar femrwn eiddil,
Eiriau o barhad i oriau'r briodas
A rhoddai'n ei inc ei air iddi'n encil.

Ond erbyn hyn, a hithau'n ei henaint,
Diwedd ei hunigedd bellach sy'n agos
A phan ddaw'r alwad, nid yw hi am adael
Olion ei eiriau ar ôl yn aros.

Mae'n casglu brigau'r geiriau o gariad
Yna, o'u rhoddi'n un pentwr addas
A'u cynnau, ei ddalennau dry'n wledd o oleuni
A'i eiriau ar ei thir dry'n goelcerth eirias.

Ar erchwyn y bedd dan wreichion bu iddo
Lenwi ugeiniau o amlenni'n gynnes
Â mil o eiriau: maent heddiw'n milwrio
Un wrth un yng nghoelcerth hanes.

Ac ar erchwyn ei bedd mae hithau heddiw'n
Anfon y geiriau dwfn o gariad
Drwy'r tân dyrchafol yn ôl at anwylyd:
Yn ôl i danio aelwyd aduniad.

Iwan

Antony

i Antony o 'Antony and the Johnsons'

"Hope there's someone ..."

Mae gwrando ar dy eirie di
dro ar ôl tro
yn fy mhen
cyn mynd i gysgu
fel lapio sgarff
sidan
yn dynn rownd fy mhen
a thros fy ngheg.

Yn dynn, dynn
heb adel i mi 'nadlu
na meddwl.

Mae ôl dy draed ar fy ngholon,
mae dy node di'n siapio'r ffor
wy'n meddwl am fywyd
heddi.

Sai'n mynd i wisgo modrwyon heddi,
a dwi'n mynd i fwyta rwbeth newydd
gwahanol
i ginio.

Wy'n mynd i fyta ngeirie
a thynnu'r sgarff sidan
a mynd i nofio
ne' rwbeth ...

Ond ma' dy node di'n
dal i fwydo
yn fy mhen i,
yn fy atgoffa i o Nina,
o Mam-gu
ac o Glesni.

Ma dy lais di'n fwy triw
a benywaidd
na llais menyw,
Antony.

    Catrin

Achmed

Wedd Achmed ddim yn ffito miwn ffor' hyn.
Wedd e'n cael 'i siâr o boeni'n yr ysgol, druan:
galw enwe,
whare tricie,
pelto cerrig weth.

Ond 'na fe,
Achmed wedd yr unig fachgen yn y shîr
wedd â dou drwyn.

    Iwan

Nina, Nina

Teyrnged i Nina Simone

Fin nos
mae ei llais yn fil o binnau bach ar fy ngwar.

Mae ei bysedd yn bwrw'r piano
ac maent yn bwrw'u rhythm
ar fy mhenglog.

Mae ei nodau hi'n troelli ym mhob man,
yn naddion euraidd twt
wedi eu pupro drw'r awyr.
Ei nodau hynaf hi
yw'r sêr.

Mae sŵn dioddef
yn ei mwmian weithiau
a sŵn 'who am I?'.
Sŵn hyder dychrynllyd,
sŵn plentyn pwdlyd.

Fin nos
mae ei llais hi fel profi deg o hafau
a storom awst yng nghrombil ei chwaferi.

Mae hi'n codi braw
ac mae hi'n crafu canu,
ond mae hi'n fyw.

Nid oes ond newid
yn yr awelon,
a chorneli, lle nad oedd corneli,
bron,
ond mae
Nina yn gyson.

                    Catrin

Alan Stivell

Daw hil yn fyw â'i delyn,
a'i thiwn dlos fin nos fan hyn
yn llawn gwres i'n cynhesu,
fe ddaw â haul i'r nos ddu.

Y bobl oll yn rhoddi bloedd
a'r ias ym mît yr oesoedd
yn cynnau y gig heno,
dawn oes sy'n ei dannau o.

Rheg o ing ddaw drwy'r gyngerdd
a gwaedd sy'n gymysg â'r gerdd,
hen waedd sy'n fyw, yn weddi –
â rhin hon drwy f'esgyrn i.

Daw'r glwyf yn ôl gyda'r glaw
a'r dolur hyd ei alaw,
yn llef ddwys am golli iaith,
yn aberth llawn o obaith.

Yn atgofion ohono –
rhuo cân yn gwau drwy'r co',
ei lais yn hawlio ei le
a'r hwyl yn dod o rywle...

drwy'i boster â''i bib astud
rhed ias cyffroad o hyd.

Aneirin

Oernant

Oernant, mae golwg arno,
Boi cefen-gwlad-llygad-llo.
Peryg ei wep, byr ei gam,
Peryclach heb help breclamp.
Boi â baw gwaelod buarth
Yn ei ddilyn, un fel arth
Hoffus iawn o ran ffisîc,
Rhyw waster digon rystic.

Ond pe cawn y ddawn rhyw ddydd
I droi yn lân holl drywydd
Dynion byd, ni wnawn i bant
Ag un darn o gnawd Oernant.

      Eurig

Awdl am Twm a'i ddeg botwm bol

Mae gan Twm ddeg botwm bol. Un siâp hwrdd;
  un siâp het glerigol;
un sy'n dwll siâp hosan dol
ac un siâp Wil Fferm Ganol;
un 'run siâp â tho capel;
un rhy fawr, siâp Ray Gravell;
un siâp iâr; un siâp beiro;
un siâp llwy ac un siâp llo.
Ni ŵyr y neb arwynebol a llwm
y rheswm bod gan Twm ddeg botwm bol.

  Iwan

Cywydd Diolch am Lety

Mis tuchan yw mis Tachwedd,
mis sarrug barrug a bedd,
mis afon yn llifo'n llwyd,
mis rhynnu, mis yr annwyd,
mis ar hewl amwys yr iâ
yw mis hir gormes eira.

Pâr oer fel dau lwmp o rew
yn dod trwy'r twyllwch dudew
oeddem ni, pâr i'w pitïo,
pâr angen man o dan do,
pâr â rhew Hewl y Prior
yn dew iawn am eu tra'd o'r.

Yn bâr o wyll Siberia,
gadawyd gwên heulwen ha'
yng nghypyrddau a gwlâu glas
tŷ oeraf y tai teras,
heb ager na boiler bach
gwlâu adar oedd yn glydach!

A heb air daeth noddwraig beirdd
i adfer pâr o dlodfeirdd
yn ei thŷ, mewn llety llon
ailaned eu henglynion,
yn llawn o win llawenhau
o ddadleth beirdd a'u hodlau.

Dyled am roi dy wely,
dy dal am agor dy dŷ,
dyled am baned a bîr –
ein dyled a ad-delir
â diolch, fe ddiolchwn
yn iaith hawdd y cywydd hwn
am fwynhau seiadau swel
tra yn nhŷ Catrin Howell.

Hywel

Pam?

Nodyn gan Evita Morgan o Batagonia.

Dim ond nodyn, bychan bach
yw hwn, gan ferch 'di drysu,
i griw o feirdd, rhai gwachul iawn
ar adeg gweld cyhoeddi –
eu cyfrol werthfawr, hynod hwy,
eu hepil llawn o eiriau
a'u talent bur yn pefrio fry,
yn sgleinio uwch eu pennau.
Neges i longyfarch criw
yw hon, a'i llond o ddagrau
am i ambell fardd o blith
y 'criw' addo ffafr i minnau.
Addawyd 'slot', ryw bymtheg cerdd
mewn 'cyfrol', (ar ôl cwrw)
ond breuddwyd gwrach Evita leddf
yw'r cyfan erbyn heddiw.
Wel, feirdd o fri, frenhinol rai,
hei lwc gyda'r bali cyhoeddi,
ond os 'da chi'n ffansi trip i'r Paith
fe gewch chi fynd i grafu.

Catrin

I Hywel

ar ennill Cadair yr Urdd

Er doethed y dywedant
Bobol hŷn – pwy fage blant?
Y mae gwaeth i'w magu wir,
A dywediad nas dwedir
Hyd y lle – pwy fage fardd?
Neu ryfyg – fage brifardd?!

Aem drwy'r ysgol a'r coleg
Yn ffrindiau ein dau yn deg,
Ond er bod ein traethodau'n
Pentyrru a dyblu ein dau,
Roedd hwn am ragor o ddysg,
Yn awyddus am addysg
Y Gerdd Dafod! Athro da
Oedd angen, a'r bardd ienga
Gytunodd, fe'i dysgodd, do.
Roddais waith cartre iddo'n
Y Groes a'r Draws nes cawsai
Unwaith rhyw un heb un bai,
Yna'r Lusg, a'i addysgu'n
Y Sain, dan fy adain fu
Yn cropian, a mi'n annog
Fy ngore, rhoi cyfle i'r cog
Yn ei glytie gael ateb
Wedyn ambell linell heb
Fy nghyngor anhepgor i.
Rôl ateb dôi'r hawl iti
Gael gwers gŵl y Groes-o-gys,
Yn anorfod o nyrfys!

Yn ddi-dâl fe ofalais
Am ei glec a magu'i lais,
A mynych edrych ar ôl
Ei wawdodyn yn dadol.
Eto'n athro'n ei feithrin

102

A chodi'i wynt, sychu'i din.
Odlais ac yntau'n bedlam,
Yn sbiwio'i broest mas o'i bram,
Ac o'r ddannodd bu'n diodde
Am fod ei Gerdd Dafod e
O sillaf olaf yn fyr,
A'i fihafio byrfyfyr
Yn drwm ac ysgafn ei dra'd,
Eto'n prifio'n y profiad.
Englyn yn ei dummy'n dynn
A'i gywydd yn ei gewyn.

Ac ym myd serch a merched
Rhois gyngor, a rhagor 'ed
Rhois i y tips ar sut i
Swyno a hudo'r ledis.
Rhwng chi a mi, mae Hywel
Yn tueddu i chwysu, chwel,
O weld merch â gwaelod main,
Mae'n gywilydd, mae'n gelain!
Mae'n rhyfeddod ei fod-e
Wedi dal ei gariad e.

Ond un Mai, dros donnau Môn,
Un mis Mai si amheuon,
With master under his wing,
Winner beats teacher – touching!
Nid Afallon Môn i mi,
Ond y sedd nad es iddi.

Iddi hi eleni aeth
Un Hywel a'i gwmnïaeth,
Hywel a'i gyfoeth awen,
A Hywel uchel ei lên.
Y pupil yn cael popeth,
A'r athro'n teimlo fel teth.

Rhag ichi regi achwyn
I ryw hwrdd o ddysgwr ddwyn
Eich awen, ewch eleni
At y cnaf, nid ataf i.
Clywch fy llef – pwy fage fardd?
Yr wyf yn magu prifardd!

Eurig

I'm hathro barddol

*i ddiolch am ei amynedd wrth addysgu'r gynghanedd ar fws
ysgol*

Ym Môn bu ffrwyth amynedd
yn drwm, ffrwyth cadw'r hedd
o raid rhwng talyrnwyr oedd,
hedd hyder ein hiaith ydoedd.

Dengmlwydd oed oedd cadoediad
y bardd glas gyda'r bardd gwlad,
'da'r meistr barddol, 'da'r lolyn,
'da'r athro ddysgodd ei hun
i ateb cerdd o'i glytie,
i grio Llusg ar y lle!

I'w glywed o'i grud wedyn
roedd odlau a seiniau syn
llinell ar linell o lol,
cytseiniaid ciwt a swynol.

Cyn i greu gael acen gref
a rheidrwydd ffwr-o-adref,
bu prentisiaeth a thraethawd
yn rhy hawdd i ddawn y brawd!
Felly'n hy, rhodd ei awen
a dawn ei wlad yn ei lên
a dysgu gan dynnu'n dau
o'r dryswch – agor drysau.

'R'ôl ambell linell annoeth
ddifeddwl, dwl, gwylltia'r doeth
a garw oedd rheg araith
wrth ddisgyblu'r canu caeth
ddilynai – treiddio i lanast
y draws a greuwyd ar hast.

'Y broest! Rwyt ti'n rheibio'r iaith!
Llinell hurt! Llinell artaith
yw honno! Mae'r acenion
yn gwingo a brifo bron!
Mae'n rhy llac! Lle mae'r acen
y brych!? 'Sgen ti hanner brên?
Ond yn nirmyg dig roedd dysg
yn gweiddi'n rheg o addysg!

Rhyfyg un nad yw'n brifardd
yw sbort am ben missus bardd,
a rhyfeddod y mod-i
wedi dal fy nghariad i?
Gan hwn! Bu hwn yn tynnu!
a bardd o gwrcath y bu!
Bu pob math o gwrcatha
o dan sêr Aber, drwy'r ha!
Ond mae casanofa'r nos
'da'i orau wedi aros
o'r diwedd! Nawr mae'n dawel –
trio celu'r chwysu 'chwel!

Ni wŷr arfog, ar hirfws
a fu fel Cilie o fws,
fu'n hogi a hogi'i hiaith
yn finiog arf o heniaith.
Yn sŵn ieuainc Casnewydd
mae sŵn gwau'r rheolau rhydd
yn eu lle, a disgybl llên
yn diolch am dy awen.

                Hywel

Colli dant

O golli teimlad yn dy ên
mae teimlo dy groen
a dod i nabod dy hun
o'r newydd.

Yn y dieithrwch, dy athro
yw ti dy hunan.

O golli teimlad yn dy ên
mae canfod fod gen ti benglog,
ac nid braw yw'r deall hwn.

Ildio i farwoldeb
a thawelu
fyddai orau.

Does dim bai mewn becso
ond mae becso'n ymddangos
mor wirion
o wybod hyd dy obaith.

O gerdded y stryd
a chau drws ar lygaid deintydd
mae teimlo dy ên
a chicio traed
ymhlith dail yr hydref.

       Catrin

Cadw Gafael

Lle bu'r haul
yn cochi'r gwiail
o gymylau
mae golau'r stryd
yn taenu'i hud
drosof innau
a hithau'n fy nghalon
yn afon o atgofion
trwof yn llifo,
yno'n rhaeadru
yn dal i wenu
wrth imi gofio.

Aneirin

Eurig 'Jimmy White No More' Salisbury

ar achlysur cadeirio Eurig Salisbury yn Brifardd Eisteddfod yr Urdd, Sir Ddinbych 2006, ar ôl iddo ddod yn ail droeon

Am flynyddoedd roedd yr hwn
a folir mewn pafiliwn
yn ddi-lwc ar fwrdd snwcer
yr Urdd, heb ateb yr her.

Cystadlai'n gywrain: ei giw
luniodd odlau'n ddi-edliw
a bu iddo botio'r bêl
ar union eiriau'i anel.

Potiodd sawl pêl – y felen
a'r binc. Â'r gêm bron ar ben
aeth y byd i gyd o'i go
- Jimmy White mewn jam eto:
potiodd flac dan yr acen
yna trist oedd potio'r wen.

O gael ail ac ail eilwaith
hwn oedd ail y drydedd waith
a daeth i'w dynged wedyn
yn ail cyfartal â'i hun!

O roi'i hynt er budd prentis
gwnaeth fardd yn brifardd am bris:
bwrw'i fawd wnaeth Salisbury fardd
- ba ryfedd nad oedd brifardd?!

*   *   *

Eleni bu'n ail unwaith
ond yn ail dim ond un waith
oherwydd bu i Eurig
daro'i bren a dod i'r brig.

Poced wag nid oes ragor
o-ryit? Jimmy White no more!

Dyn glew iawn, capten Y Glêr,
a bardd snici bwrdd snwcer.
Hwn yw'r un, y mwya 'riôd,
hwn yw Davies Cerdd Dafod
ac mae ciw gwâr ei chware
yn slic iawn dan ei sialc e'.

Hwn yw'n llyw, Ebdon ein llên,
Pocket Rocket yr acen.
O ran dysg ni all 'run dwrn
lorio Taylor y Talwrn
a gall Hendry'r cerddi caeth
fwrw'r ddu'n ei farddoniaeth.

Tra bo, i botwyr y bêl,
acenion union anel
fe fydd cerddi Salisbury'n siŵr
o ateb blys pob potiwr;
fe fydd ffrâm ei gelfyddyd
yn *one four seven* ffres o hyd.

Iwan

Delwedd Drist

Yn hualau tyn y niwlen – mor wag
    fel marw iaith yw'r gorffen,
    yn y glaw trenga'r awen –
dan y llaid mor fud yw'n llên.

A'th y byd yn lle trist

Striwa'r drefn yw stori'r drwg – o dalu
    hawlia'r diawl eu golwg...
    'Rôl troi nôl am gipolwg
Mae'n duw yn mynd yn y mwg.

Ar Wahân

Chware â geirie a garaf heno
    a'r fenyw brydferthaf
    yn y byd yn byw ei haf,
af o 'ngo` yn fy ngaeaf.

Aneirin

Ty Newydd

Awch i greu sy'n llwch y gro – â miri
  Rhwng muriau a beiro
  Yn wydrau gwin a mwydro
  Twrw a chân y tri cho'.

I Gawr Mynydd y Garreg

Gweld y gorwel wna'r gwladgarwr – gweld cais
  A gweld coch yn heriwr,
  Aml chwedl drwy'r genedl yw'r gŵr,
  Un o'r werin yw'r Arwr.

Cerflun o Löwr

Y dwylaw o dawelwch, er ochain,
  daw'r achwyn o'i beswch –
  yn llusgo'n llesg yn y llwch,
  yn naddu ei lonyddwch.

Aneirin

Ffenestr Liw

Ergydiais i wrth weddïo'n y tŷ,
   A gwadu'r ergydion,
   Ond i rym y ffenestr hon
   Y diolchaf yn deilchion.

!

Yr un yw'r rhaid, torri'n rhydd – cenhedlaeth
   Yn canu awdl newydd
   Ddi-embaras yma sydd,
   Canu ifanc anufudd.

Y Fan

I fyny'r Fan yr af i – o gysgod
   Yr isod a chroesi
   Tir uwch heb orfod trochi
   Fy mys yn dy ystlys di.

      Eurig

Mainc

Ar y garreg deg uwch y dŵr – yno
　　fe gwestiynaf grefftwr
　　y sedd, am nad wyf yn siŵr
　　a yw'n saer neu'n gonsuriwr.

Lliwiau

i Kevin Carter

Du a gwyn ydyw gynnau, – du a gwyn
　　ydyw gwaed mewn lluniau
　　o rith hyll na all ryddhau
　　y gwyll euog o'u lliwiau.

Bwlch

yng Ngogledd Iwerddon

Y lôn a rwystrwyd eleni – ond gwn
　　fod gynnau ar dewi,
　　a gwn y newidiwn ni
　　iaith y weiren o'i thorri.

　　　Hywel

Y Cyfarwydd

Yn dy waed mae dawn dweud-'i; yn dy hwyl,
  dy iaith sy'n goroesi;
yn dy eiriau mae'r stori
yn fyw o hyd ynof i.

Elvis

Er i'w anadl ef ddadlaith, er i'w lais
  rhywiol ef farw unwaith,
mae ef, drwy'r blynyddoedd maith,
yn ei alaw'n fyw eilwaith.

Tir Neb

*i gyfarch y Prifardd Huw Meirion Edwards,
fy nghyfarwyddwr ymchwil, ar achlysur ei gadeirio
yn Eisteddfod Genedlaethol Casnewydd, 2004*

Est, Neb, ar daith ystrydebol trwy'r gwynt,
  a'r gân mor wahanol
ac yna dest, fel gwennol,
heibio i dir neb adre'n ôl.

Iwan

115

90, Heol y Prior

cartref newydd Hywel a Catrin

Par ieuanc Heol y Prior heddiw
    sy'n eiddo ar drysor
    ond er i'r ddau gadw'r ddôr
    mae'r Gymraeg yma ar agor.

Melin Llynnon

*Melin Llynnon, Llanddeusant, Môn, a adeiladwyd
ym 1775-76 ac sy'n dal i gynhyrchu blawd heddiw*

Er mor hen yw ei hadenydd araf,
    draw o gorwynt cynnydd,
    deil hi i dorri bob dydd
    yr un awel o'r newydd.

Y Gnec

*yn null englynion disgrifiadol
y bedwaredd ganrif ar bymtheg*

Naid ager anghymdogol – ydyw'r gnec,
    Drwg o gnawd yr arsol;
    Cyfarchiad angheidwadol
    Sawr poenau oes o'r pen ôl.

        Iwan

Cwpan y Byd 2006

Lle bu'r iaith mewn lliw brethyn daw yr ŵyl
   i dreulio'r edefyn
  a chriw'r groes goch ar grys gwyn
  yn ei wisg i'n goresgyn.

Machlud a Gwawr

Daw adeg bob diwedydd y rhuddir
   fy ngruddiau oherwydd
  gwelaf, ym machlud hafddydd,
  liw Dy waed ar orwel dydd.

Ond mae gorwel bore melyn yn dweud
   y gwnei Di, o'th ddilyn,
  roddi'n ôl fy ngruddiau'n wyn
  heb wrid y bore wedyn.

    Iwan

Cysgodion

Mewn ogof yn Nhremadog ry'n ni'n gweithio yng ngolau'r
gannwyll
gan drio cadw'n pwyll, ond alla i ddim goddef twyll,
fel y tystion yn mynd yn orffwyll mewn gêm o wyddbwyll,
mae'r brenin a'r frenhines yn barod i arwain y milwyr,
o sgwâr i sgwâr maen nhw'n byta'u ffordd drwy'r frwydr,
rhoi Cymru a'r Gymraeg o dan chwyddwydr y byd,
mae gyda ni dafodau achos dydyn ni ddim yn fud,
ac mae'n ogof ni yn crynu o dan rym ein curiadau
tra bod cannoedd o gysgodion yn tyfu ar y muriau,
yn sibrwd eu gwenwyn ac yn hogi eu llafnau,
a nawr mae'r darnau i gyd yn cwympo mewn i'w lle:
Mae'r cysgodion i gyd fel corrod ar y we.
Mae'r cysgodion i gyd fel corrod ar y we.

Ar ddiwedd y dydd, oes gyda ni hawl yn y byd
i weud be ni moyn wrth inni gerdded lawr y stryd?
y geiriau a'r gerddoriaeth oedd teganau fy nghrud
a ieithoedd mawr a bach sy'n dal i guddio perlau drud
9 Tonne a Mr Phormula'n rhoi'r cyfan at ei gilydd,
dau gyfaill sydd yn rapo heb gywilydd,
ry'n ni'n gweithio ymhob tywydd,
a'r curiad yw ein llywydd, yn arwain y ffordd
wrth inni ddilyn y trywydd,
yn cymryd syniadau sydd yn syth mas o gywydd,
so watshiwch chi mas nawr achos wy'n dod i roi rhybudd,
mae'r Diwygiad ym mhobman achos dyw 9 Tonne ddim yn
gybudd,
gyda bach o barch i'n gilydd gallwn newid y byd yn gyson,
wy'n berson heddychlon smo fi 'ma i gael ymryson.

Smo fi'n lico ymladd ond wy'n ca'l 'y nghynddeiriogi
a dyna sut mae'n hodlau ni i gyd yn cael eu hogi,
arfogi, miniogi, ry'n ni'n barod gyda byddin o eiriau i'n
cefnogi,
does dim angen inni rhegi, ond withe ry'n ni'n neud er
mwyn mynegi,

gan ategu yr hyn ry'n ni'n trio ei weud drwy rethregu,
ry'n ni'n gwrando ar gerddoriaeth o bobman yn y byd
tra bod pobol gul eu meddwl yn poeri'u rhagfarn nhw o hyd,
os am biben heddwch, dewch ac eisteddwch,
os ych chi moyn dadlau yna bydd 'na flerwch.

Tu ôl i'ch cefn chi'n clywed sibrydion,
Chi'n troi rownd ac yn edrych i'r cysgodion,
Er eich bod chi'n disgwyl gwynebau ysbrydion
Y cyfan chi'n ei weld yw gwynebau'ch cymdogion.

Aneirin